W9-DDO-498

WITHDRAWN

1600
9.60/8.60

PAISAJE CON REPTILES

El Club Diógenes

SERIE «AUTORES ESPAÑOLES»

PILAR PEDRAZA

PAISAJE CON REPTILES

VALDEMAR

1996

Primera edición: diciembre de 1996

*Quedan rigurosamente prohibidas, sin la autorización escrita
de los titulares del «copyright», bajo las sanciones establecidas
en las leyes, la reproducción parcial o total de esta obra
por cualquier medio o procedimiento, comprendidos
la reprografía y el tratamiento informático.*

Dirección editorial:
Rafael Díaz Santander
Juan Luis González Caballero

Diseño de colección:
Cristina Belmonte Paccini ©

Ilustración de cubierta:
Valdemar

© Pilar Pedraza, 1996
© de esta edición: Valdemar ®

Gran Vía 69 / 28013 Madrid
Telf. y Fax: (91) 542 88 97

ISBN: 84-7702-179-1
D.L.: M-41.525-1996

Impreso en España

Índice

Paisaje con Reptiles

Para Juan López Gandía,
que ha respirado estos aires.

Yo soy la herida y el cuchillo,
la bofetada y la mejilla,
yo soy los miembros y la rueda,
y la víctima y el verdugo.

BAUDELAIRE

1

Me desperté ardiendo, con los labios salados y arenosos. Era casi mediodía. Entre mi mirada y el mar se interponía la mole rosada de Julius, que yacía boca arriba con las piernas abiertas y las manos cruzadas bajo la nuca. Hundí el rostro en su axila inmensa, cuyo olor me embriagaba, mientras le acariciaba el contorno de la boca con las uñas. Me mordisqueó los dedos y luego sus labios recorrieron mi hombro, demorándose largamente en mi pecho desnudo. A pesar del calor, me estremecí. Le deseé. También él a mí, quizá por primera vez desde mi aterrizaje en la isla un par de semanas antes.

La noche de mi llegada no había sido capaz de amarme. Presentí que algo no iba bien al verle introducir la llave en la cerradura del bungalow con mano temblorosa. Nunca hasta entonces había visto temblar sus manos. Luego, avergonzado, culpó de su impotencia a nuestra prolongada separación, y yo fingí que no me importaba. No es que lo fingiera, en realidad; verdaderamente estaba tan cansada que casi lo preferí, pero no dejó de extrañarme, porque Julius, sin ser un atleta sexual, siempre se había mostrado muy apasionado conmigo, quizá porque mi juventud le había hecho recuperar un deseo que empezaba a adormecerse entre los pliegues de grasa de su cuerpo.

Ahora, en la soledad de aquella playa de arenas cenicientas, le sentía cercano de nuevo y al mismo tiempo encerrado en sí mismo, inaccesible como un cadáver. El momento de deseo había pasado.

—Tengo sed —dije, insinuando que se levantara y fuera a buscar un refresco al lejano quiosco de bebidas. Mi voz sonó en mis propios oídos como la de una niña caprichosa, pero no era un capricho: necesitaba verle moverse para comprobar que seguía vivo.

No hizo caso. Tal vez ni siquiera me oyó. Tenía en la cabeza algo enorme que me excluía. No había motivos para sentir celos: su obsesión en la isla no era otra mujer sino una mancha amarilla, oleaginosa y pestilente, que se extendía por la piel del mar. Mi marido formaba parte del equipo que la estudiaba desde una plataforma petrolífera abandonada. Cuando el aire estaba despejado como esa mañana, podía verse desde la playa la silueta gris del ingenio, erizada de torres y chimeneas. Parecía la cubierta de un barco hundido o más bien la cabeza de una gigantesca tuerca hincada en el fondo del océano. Julius había prometido llevarme a visitarla, pero cada vez que se lo recordaba me daba largas.

—Anda, tápate —ordenó con un susurro tierno y fatigado.

Tenía razón. Aunque la playa estaba casi desierta, fuera de la zona de los hoteles no era prudente exhibirse. Allí la gente era muy puntillosa en todo lo relativo al cuerpo, y además no estaban acostumbrados a recibir forasteros y se irritaban con facilidad, a pesar de su temperamento amable e incluso servil. Me puse el sostén del bikini mientras Julius encendía un par de cigarrillos. Me tendió uno, que rechacé con un movimiento de cabeza: tenía sed, no ganas de fumar. Se encogió de hombros, lo hizo volar de un papirotazo y aspiró el humo del suyo con la mirada perdida en la lejanía.

A unos cincuenta metros se había congregado junto al agua un grupo de niños. Me pregunté en voz alta qué estarían haciendo.

—Habrán cogido una tortuga —contestó Julius

en medio de un bostezo—. No es la época del deso-
ve, pero desde hace días la mancha las empuja hacia
aquí. Pronto llegarán muchas más. Están condena-
das. En cuanto varan en la arena, los chicos se apode-
ran de ellas. Ve a verlo, anda. A los turistas os gustan
esas cosas.

«Turistas». Me había llamado turista —tenía
razón: yo era una turista; él, no, él ya formaba parte
de aquel mundo salado y caliente—, mirándome
con unos ojos enrojecidos por la borrachera de la
noche anterior. Sin duda deseaba que me alejara para
seguir durmiendo, porque bostezó de nuevo y se dio
la vuelta en la toalla. Su espalda era maciza, carnosa,
salpicada de manchas marrones y nacaradas en los
sitios donde la fina piel quemada por el sol se había
desprendido y afloraba la nueva. Ésta no tenía el
aspecto liso y fresco habitual, sino cierta rugosidad
sucia. Contemplando su cuerpo de coloso, inerme
ante mi mirada escrutadora, me asaltó la idea de que
se desintegraba. No era la primera vez. Desde el
momento en que le vi cuando llegué a la terminal del
pequeño y destartalado aeropuerto, no había podido
librarme de la sensación de que le estaba ocurriendo
algo muy malo, espantoso. Tuve miedo de haberle
perdido, como si no fuera el mismo, sobre todo porque, al abrazarle, noté un olor extraño que se super-

ponía, envileciéndolo, al aroma familiar de tabaco y canela que hacía tan confortable el refugio de sus brazos. Fue como abrazar a un ahogado.

Decidida a acercarme a la orilla para echar un vistazo, me puse en pie de un salto y me sacudí la arena de las nalgas con ambas manos. A Julius le gustaban mucho las bragas de mi bikini, de un tejido color gris acero, suave y brillante. Aquella prenda le excitaba: solía decir que parecía una pieza de metal injertada en mi carne, lo cual, para un hombre tan poco imaginativo como él, era mucho, casi una fantasía erótica. Pero eso era antes, en las playas del mundo de los vivos; allí, en la desolación de la bahía volcánica amenazada por las aguas podridas, paisaje mortal, infernal incluso en su belleza abrumadora, tenía embotada la sensibilidad para cualquier cosa que no fuera los matices de la mancha, variables según los elementos de la corrupción que predominaban en ella en cada momento. A pesar de ser ingeniero y no biólogo, sabía interpretar aquellos cambios como el amante los del rostro amado.

Antes de abandonar el sombrajo, me puse los pantalones, la camisa y las zapatillas de tenis para protegerme del sol y de la arena ardiente que se hundía bajo mis pies mientras me encaminaba sin entusiasmo hacia el mar.

Del grupo de niños de la orilla se separó y salió a mi encuentro una muchachita coja y fea, de húmedos ojos de perra, que me tomó de la mano sin decir palabra y tiró de mí hacia el corro. En su centro, unos muchachos empapados se afanaban en un juego o trabajo atroz: estaban arrancando el caparazón a una tortuga gigantesca, todavía viva, que yacía patas arriba en la arena, mientras otros la sujetaban hincándole las rodillas en las placas del vientre. El animal no podía defenderse de los instrumentos que destrozaban su cuerpo; lo único que indicaba cierta resistencia era la tensión del cuello, tan erecto que la piel parecía a punto de desgarrarse. Lo movía penosamente de izquierda a derecha, y me dije: ¿por qué no se esconde en el caparazón?, pero no hay lógica en las reacciones de los moribundos, ni siquiera en los galápagos que han vivido cien años, como parecía ser el caso de aquel ejemplar impresionante. Cuando la concha se desprendió, fluyeron sobre la arena las entrañas sangrientas, azules y malva, con un ruido blando que sonó en mis oídos como un suspiro de alivio.

Dos de los niños corrieron a lavar en el mar el trofeo, mientras otros arrastraban hasta la playa una nueva víctima. Más pequeña pero menos resignada que la anterior, sacudía las patas, meneaba la cabeza y se ahogaba de pánico. Parecía querer escapar de sí misma o abandonar el refugio codiciado por sus captores. Sus esfuerzos me recordaron viejas fábulas de animales almizcleros que, para salvar la vida, se arrancaban con los dientes sus propios testículos, henchidos de perfume, y los dejaban al alcance de los buscadores de aromas.

Como el espectáculo merecía ser contemplado cómodamente, me senté junto a una barca sobre un montón de redes secas, cuajadas de cristales de sal que brillaban al sol. La cojita se instaló a mi lado. Sin soltarme la mano, apoyó en mi brazo la cabeza hirsuta y probablemente piojosa, y me preguntó mi nombre. Iba a responder cuando algo desvió mi atención. Una adolescente alta y oscura se interponía entre el sol y yo como caída del cielo. La miré deslumbrada, protegiéndome los ojos con la mano. Su vestido rojo con dibujos blancos se parecía tanto a uno de mis cuadros que me creí presa de una alucinación. Su rostro, sin embargo, recordaba más el trabajo de un escultor que el de un pintor. Las tres dimensiones de la cabeza eran reales, no fingidas a flor de lienzo por artificios de la perspectiva. El artista las había tallado en osados volúmenes a la manera egipcia para luego pulirlas hasta darles un acabado de cera. Los ojos parecían incrustados en materias preciosas, en tanto que los labios, careciendo del color propio, debían resignarse a compartir la canela que hacía apetitosas las mejillas.

Se sentó junto a nosotras en las redes, retirando mi bolso de charol. Al tocarlo, no pudo dejar de experimentar la magia que emanaba de él, y lo acarició furtivamente como a veces hacía yo misma. Era brillante, de tacto húmedo. No hacía juego con el aire deportivo de mi indumentaria, pero siempre me acompañaba: me había aficionado a su textura y a su color cereza. A menudo, cuando yacía sobre mi regazo lo contemplaba, casi lo acechaba a la espera de alguna señal de vida. Entreabierto, parecía la boca de un gran pez de labios hinchados. Una boca muda, dispuesta a tragarse lo que trajera la corriente. Nunca dijo nada aquel bolso, pero a veces mordía. Mis uñas solían ser víctimas de la voracidad del cierre, en el que Julius había hecho grabar mis iniciales cuando me lo regaló. Las letras enlazadas eran un detalle de mal gusto, pero el paso del tiempo y el roce habían atenuado el contraste entre la superficie virgen y la herida del buril.

Los muchachos se disponían a arrancar el caparazón de la segunda tortuga junto al montón de basura sanguinolenta en el que había quedado convertido el cuerpo de la primera. Una nube de aves marinas volaba en círculos sobre nuestras cabezas, graznando de impaciencia ante el inminente festín. Algunas pasaban tan cerca que se les oía rasgar el aire con las alas. No temo a los animales siempre que pueda verlos, pero la proximidad de aquellos pájaros, borrados por los destellos del sol, me acobardó. Mi aprensión no pasó desapercibida a las niñas: la cojita apretó mi mano entre las suyas y me tranquilizó diciendo que no bajarían a comer hasta que nos marcháramos. La otra se limitó a mirarme con el desprecio que sin duda reservaba a los pusilánimes.

Tratando de distraerme de la amenaza de las carroñeras, retomé el hilo de la escena interrumpida por la aparición de la joven bárbara.

—Me llamo Alicia —dije en respuesta a la pregunta de la pequeña—. Y vosotras, ¿cómo os llamáis?

—Yo me llamo Amara y ella Céfira —respondió la cojita señalándose a sí misma con el dedo y luego a la mayor, que, frunciendo el ceño corrigió y aumentó secamente:

—Sefira Toussaint.

Como si nada pudiera añadirse a la perfección de aquellas dos palabras, se levantó y se alejó por la orilla, muy erguida. La seguí con la mirada hasta que el centelleo del sol en el agua me cegó. «Principesca», pensé, dejándome llevar por un tópico de mi educación, según el cual todo indígena de piel oscura poseía en grado superlativo al menos una cualidad, que compensaba su inferioridad congénita.

—¿Para qué quieren las conchas? —pregunté a Amara. Pareció desconcertada por mi ignorancia.

—Pues... ¿Para qué las van a querer? Para venderlas en el mercado. En los talleres del barrio de los orfebres hacen con ellas muchas cosas. Cuentas y peines. Adornos, ya sabes.

Asentí gravemente, casi disculpándome. Claro que sabía lo que se hacía con el carey, pero por un momento había llegado a creer que la matanza que acabábamos de presenciar tenía otro significado que el de la mera caza para la venta.

El calor y la luz habían alcanzado una intensidad dolorosa. A pesar de los oscuros cristales de mis gafas de sol, todo me deslumbraba. Cerré los ojos. La brisa traía el olor de los animales recién sacrificados. Cuando volví a abrirlos, vi al grupo de niños alejarse con su botín: un par de caparazones como escudos, compuestos de placas poligonales, con las que se podría hacer una buena cantidad de objetos preciosos. Me habían dejado sola en la blanca luz, sedienta, rodeada de aves enloquecidas por el deseo de la carne húmeda. El pánico hacia los picos y las alas estuvo a punto de apoderarse de mí. Miré a mi alrededor en busca de un asidero. Julius me hacía señas agitando un brazo. Aunque nos hallábamos lejos el uno del otro y no podíamos vernos las caras, le sonreí agradecida. Si él estaba cerca irradiando su aura protectora, no había nada que temer. Me levanté y eché a andar como ebria, de espaldas al mar, dejando atrás la hirviente nieve de los pájaros, que al fin habían caído sobre la carnaza y la devoraban con estrepitosa ferocidad.

Comimos en un chiringuito de la playa. Mi apetito, estimulado por las sensaciones de la mañana, recibió con alborozo una fuente de mariscos presidida por unas centollas cuya pulpa, al deshacerse en la boca, destilaba un fluido casi genital. Mientras lo saboreaba pensé en las tortugas. Me preguntaba cómo sabría la carroña recalentada por el sol, cuyos colores parecían los de una paleta sucia, y la asocié con el banquete al que me habían invitado días atrás los compañeros de Julius, en un lugar llamado Pemba Village.

El Pemba era una especie de cabaña de madera negra entre jardines, rocas musgosas, escalerillas de troncos y cascadas, que proporcionaban una sensación de frescura tan intensa como efímera, porque en seguida el sudor y la asfixia volvían a apoderarse del cuerpo, mientras el espíritu languidecía en una calma sin sustancia. En aquel paraíso para turistas todo parecía perfecto, pero también falso o precario. No fui capaz de superar mi repugnancia hacia la carne amarillenta presentada con arte sobre lechos de pétalos, pulpa de frutas y hojas verdes. Fuera de la zona sombreada de las mesas, tomaban el sol en fosos de piedra negra las bestias de las que procedían aquellos bocados. Solo salían de su letargo para tragar sin entusiasmo grandes pedazos de vaca que la putrefacción tornasolaba de azul.

Mi ración de reptil había quedado intacta en el plato mientras Julius y los hombres de la plataforma, risueños y sudorosos, comían hasta hartarse, y los camareros también sudorosos, también sonrientes, nos servían vinos incoloros en cuencos de madera de ébano y caoba. A Julius le molestó mi inapetencia, que podía ser interpretada como un desaire por sus compañeros y por la gente del local. Aunque no dijo nada, lo leí en la expresión de reproche que le oscurecía el rostro. No era la primera vez que anteponía a mi placer o a mi voluntad el deseo de quedar bien con extraños, y eso era algo que yo no podía soportar. ¿A mí qué me importaba lo que pensaran los demás? No me daba la gana de almorzar ancas de cocodrilo. ¿Cómo decirle, por otra parte, a qué se debía en definitiva mi asco? No era solo que odiara comer inmundicias sino sobre todo que, sin saber por qué, relacionaba aquellas tajadas pálidas con la blanda impotencia que le había impedido corresponder a mi amor durante nuestra primera noche juntos en la isla. Ese tipo de confusión imaginaria de unas cosas con otras era frecuente en mí, pero no siempre podía explicarla sin ofender a los demás, y lo único que pedía era que me la respetaran.

—¿Te pasa algo? —me preguntó de pronto tomándome por la barbilla con la mano grasienta de arrancar patas de los caparazones. Me sobresalté. Su voz, al quebrar la burbuja de soledad que me rodeaba en mi ensoñación, hizo que el recuerdo del Pemba Village se evaporara bruscamente, dejándome confusa.

—No, no me pasa nada. Hace mucho calor y me duele la cabeza —respondí con una sonrisa de disculpa, como si me hubiera sorprendido en un acto vergonzoso.

—¿Calor? —se mofó él, lanzando una risotada que le hizo atragantarse. Al toser, su cutis rubicundo alcanzó tonos purpúreos y las lágrimas aclararon el azul de sus ojos—. Esto no es nada, mujer. Si hubieras venido hace tres meses, cuando el volcán calentó el subsuelo de la isla, te habrías enterado de lo que es calor. Era como estar en una sauna todo el tiempo.

Perdí cinco kilos, pero por desgracia los recuperé en seguida.

Luego me dio un codazo amistoso y señaló con el cuchillo hacia el arbusto de adelfas, diciendo:

—Tienes visita.

Bajo las amargas flores rosadas se hallaba, mirándome fijamente, la niña coja llamada Amara, con su vestidito de algodón agitado por la brisa. Se restregaba la pierna enferma con el talón del otro pie. Julius se levantó con el pretexto de comprar tabaco. Supuse que lo hacía porque de lo contrario la pequeña no se hubiera atrevido a acercarse. Solía mostrarse muy considerado en pequeños detalles como ése. Era un rasgo de su carácter que nunca dejaba de sorprenderme en un hombre que había sido militar y hasta cierto punto seguía siéndolo.

La niña permaneció quieta, mirando cómo se alejaba. Hasta que Julius no hubo desaparecido por la puerta del bar, no hizo el menor movimiento. Luego vino hacia mí a pasitos cortos, muy seria, pero cuando estuvo a mi lado, se abrió en su rostro una sonrisa que dejó ver la maravilla de su dentadura blanquísima y sus feas encías bajo los labios morados.

—Señora Alicia —dijo bajito—, has perdido una cosa cuando estábamos mirando las tortugas.

—¿Sí? ¿Que he perdido, corazón? —pregunté con

la voz de falsete que empleaba a veces cuando hablaba con niños, pues, no estando acostumbrada a tratar con ellos, solía pensar que sabían mucho más que
yo, lo cual me intimidaba.

—Esto —dijo Amara, y exhibió triunfante un
objeto dorado en la palma de la mano. Tardé unos
segundos en reconocer en él mi barra de labios—.
No es bueno perder cosas aquí —añadió.

Quise agradecérselo con unas monedas, pero las
rechazó con el ceño fruncido. Entonces tuve una inspiración súbita. La tomé por la barbilla, como antes
había hecho Julius conmigo y, tras depositar un beso
en la punta de su mocosa nariz frecuentada por las
moscas, le pinté la boca con el lápiz de color ladrillo,
que olía a ciclamen y tenía el nombre, remoto y
vagamente episcopal, de «Arenas de Antioquía». Su
gozo fue tan puro e intenso que la transfiguró. Creí
que entonces se marcharía, pero permaneció a mi
lado como si quisiera decirme algo y no se atreviera.
Cuando la silueta clara de Julius se recortó en el
hueco de la puerta, se inclinó hacia mi oreja y susurró a toda prisa:

—No habías perdido tu pintura, señora Alicia. Te
la quitaron. No es bueno que te quiten estas cosas.
Ten cuidado—. Y echó a andar con la graciosa asi-
metría que la cojera confería a sus movimientos.

No sabiendo de qué o de quién debía protegerme, no di importancia a sus palabras. Tenía tanto calor y estaba tan cansada que en aquel momento sólo podía pensar en las delicias de la siesta en el bungalow del hotel, que afortunadamente estaba cerca de la playa.

Más tarde, tendidos medio desnudos en la gran cama bajo el mosquitero, nos exploramos mutuamente con la boca, primero por rutina y en seguida con un ardor propiciado por la hora, la comida y el vino. En el pecho de Julius palpitaba una gran cicatriz de un púrpura pálido. Creo que fue aquella marca en su piel lo que me había enamorado. La primera vez que le vi, no pude apartar los ojos de ella, fascinada por el juego de su aparición y desaparición a través de la abertura de su camisa veraniega. Había sentido el deseo de besar la piel diferente, delicada como la de unos labios, que había cubierto la antigua herida. No tardé en saber que se debía a una intervención quirúrgica, pero esto no impidió que fantaseara continuamente sobre un presunto origen heroico. Tan pronto se me antojaba la huella de un lanzazo, digna de los semidioses de la Ilíada, como el testimonio de que le habían arrancado el corazón para ofrecérselo al sol. Cuando mencionaba a Julius estas ocurrencias, sonreía condescendiente, pero el caso es que al principio le divertían mucho, quizá por contraste con la sensatez de su primera esposa, la abandonada, que creía a pies juntillas en los datos de la realidad.

Aquella tarde, la piel pecosa y brillante de sudor de su torso me trajo a la memoria el suplicio de las tortugas, y ese recuerdo, que guardaba una ternura líquida dentro del hueso de su crueldad, avivó mi deseo hasta convertirlo en ansia. Excitada por la carne húmeda y sobre todo por el roce de los ásperos hilos de la colcha en mi piel abrasada por el sol de la mañana, me abrí a su duro abrazo, y mientras ascendía hacia mis cimas, desfilaron por mi imaginación las tortugas, sus entrañas, sus boqueadas de agonía, el acecho de los pájaros, el mar como una cinta de platino, la falda de la joven Sefira pegada a la carne desnuda por el viento salado. Temí perder a Julius como en otras ocasiones, pero él no desmayó sino que trabajaba potente en mi interior como una máquina de hacer fuego. Apenas lo hubo prendido, se deshizo. Pronuncié mentalmente mi palabra secreta, la llave de la apertura de las entrañas, y el placer me rozó y desapareció en seguida entre el follaje del sueño.

Desperté de mal humor. La voz de Julius me anunció desde el cuarto de baño que habían cortado el agua. No era una novedad, ocurría casi todos los días porque estaba racionada, pero me exasperó no poder desprenderme de la suciedad de la siesta. De mi regazo ascendía un invisible vaho como el que había aspirado hasta la náusea inclinada sobre el foso de reptiles del Pemba Village, mientras me recreaba en la contemplación de los hígados desdeñados por las bestias dormidas.

Estuve mirándole con ojo crítico mientras se vestía. Había engordado o más bien se estaba hinchando. Su vientre siempre tuvo forma de cúpula y eso no me disgustaba, al contrario, me parecía gracioso por contraste con los cuerpos esbeltos de los amigos de mi edad, demasiado parecidos al mío, pero ahora se me antojaba inflado por una preñez mortal, en tanto que sus piernas antes poderosas habían enflaquecido. Por un momento me pareció un hombre cualquiera, un viejo feo y desconocido que se movía con torpeza. Sin embargo, lejos de horrorizarme la perspectiva de que nuestra diferencia de edad estuviera empezando a separarnos, no me dolía constatar la decadencia de mi marido frente a mi propia juventud: más bien me recreaba en ella con la inocencia de un niño que disfruta jugando en un charco de lodo. Siempre cabía la posibilidad de abandonar esa diversión, si llegaba a volverse insoportable.

A través de las rendijas de las persianas se filtraba

una luz cada vez menos cruda. Podíamos salir sin peligro de arder o convertirnos en un charco humeante sobre el suelo. La naturaleza concedía una pequeña tregua hasta la tormenta del crepúsculo.

—¿Qué vamos a hacer esta tarde? —pregunté. Era domingo y Julius había prometido que pasaríamos el resto del día juntos, pero yo sabía que no iba a poder resistir la tentación de acudir a la plataforma. Lo notaba en su expresión alucinada.

—Tengo que acercarme a la plataforma —respondió como un eco de mis pensamientos, y explicó—: un brazo de la mancha está cambiando de color. Ayer decidieron analizarlo.

—¿Y eso qué tiene que ver conmigo? Tú diriges a los ingenieros, no a los biólogos —protesté—. Si tienes que estar en todo, te vas a volver loco. Deja que cada cual haga su trabajo.

Pero era inútil tratar de disuadirle: nada referente a la mancha le resultaba ajeno. Dijo que quería estar presente en el bombeo de las muestras por si le necesitaban. Por mi parte, pensaba dar una vuelta por la ciudad. Esta información le hizo torcer el gesto.

—Sería mejor que te quedaras en la piscina del hotel, pero si te empeñas en salir, avisaré a Sugar para que te lleve.

Albert Sukari era el chófer adjudicado a los ingenieros de la plataforma que residían, como nosotros, en los bungalows del hotel Cartago. A mi modo de ver, el apodo de Sugar no le cuadraba. Aunque era muy educado y ceremonioso, no podía decirse que se tratara de un hombre dulce. Traía y llevaba a la gente con la impasible eficiencia de quien sabe que todo es inútil, pero disfruta con su trabajo. Desde el primer momento reparé en su costumbre de dar la bienvenida a los pasajeros al llegar a cualquier parte, aunque fuera dos manzanas más allá. Su exagerada cortesía me había intimidado al principio, hasta que me acostumbré y dejé de percibirla.

Cuando dije a Julius que no necesitaba a Sugar y prefería ir a pie, me largó uno de sus sermones sobre los peligros de la isla, la rapidez con que la noche caía en aquellas latitudes y mi propensión a desorientarme. Tenía razón en todo, pero su tono protector y algo gruñón me irritó. No dije nada por no empeorar la tensión que había surgido entre nosotros. Cuando oí rugir el motor de la lancha que le llevaba hacia la plataforma, sentí alivio y una especie de alegría infantil por haber recuperado la libertad.

2

Envuelta en una nube de niños que charlaban, reían y me tocaban, me encaminé hacia la parte meridional de la ciudad, cerca de las murallas, en busca de una plazuela que me había llamado la atención días atrás. Era muy recoleta, casi un patio. El enjalbegado no blanqueaba sólo las fachadas sino también el suelo de guijarros, de modo que me parecía estar en la ciudad de azúcar de los cuentos. No era una sensación desagradable pero tampoco tranquilizadora: toda golosina supone una boca que engulle y unos dientes que trituran.

Me senté en el brocal de una fuente seca, dispuesta a dibujar una de las casas, un edificio giboso y ciego unido al contiguo por el arco de un túnel. El único adorno de la fachada era una banda de arquitos azules que aliviaban su austeridad.

Los niños se acomodaron a mi alrededor como para recibir una lección, unos en cuclillas y otros sentados con las piernas cruzadas, dirigiéndome negras miradas atentas. Entre ellos reconocí a la cojita Amara y la chica del vestido rojo, la que se llamaba Sefira. Esta última me gustaba de un modo especial. Además de su belleza severa y hermética, casta como la de un ídolo, tenía algo que la hacía diferente de las demás muchachas. También yo a su edad había sido distinta, aunque no del mismo modo. Mi rareza era fruto de la soledad y la lectura precoz de libros de la biblioteca de mi abuelo. No siempre los entendía, pero su veneno resbalaba hacia el interior de mi espíritu sin encontrar obstáculos, provocándome una embriaguez que me hizo ver doble cualquier objeto durante el resto de mi vida. Me preguntaba cuál sería la causa de que aquella virgen remota estuviera al margen y a la vez en un centro preciso del mundo como la imagen de un altar. La soledad, pudiera ser; la lectura de los clásicos modernos, era improbable. Lo cierto es que a su alrededor parecía haber un halo que la mantenía aparte.

Cuando llevaba un buen rato dibujando la casa, salió de sus fauces una anciana de aspecto huraño que se puso a mi lado en jarras y miró el dibujo atentamente.

—Será difícil hacer eso —dijo. En su tono había una hostilidad mal disimulada por una sonrisa hipócrita.

—No, no es difícil. Sobre todo una casa tan bonita como la suya —repliqué, echando mano de los recursos más burdos de la diplomacia para que me dejara en paz.

Con la boca desdentada muy abierta y haciéndose pantalla con la mano sobre los ojos aunque tenía el sol a las espaldas, la mujer contempló su propia casa como si la viera por primera vez en su vida, y, finalmente, sentenció:

—No es hermosa. Es muy vieja.

Los niños me miraron conteniendo la respiración. Sin duda esperaban de mí una réplica brillante que les permitiera comprender mi entusiasmo, tan misterioso para ellos como para la arpía.

—Tiene usted razón: es antigua, pero a mí me gusta —me limité a decir. Me sentía idiota, como suele ocurrirles a los extranjeros en coloquio con los indígenas, e incapaz de explicar al auditorio los encantos de lo pintoresco.

La mujer remoloneaba como si deseara algo que no se atrevía a pedir. Obedeciendo a una inspiración fulgurante, como cuando pinté los labios a Amara, arranqué el dibujo del cuaderno y se lo tendí.

—Tome. Si le gusta, quédeselo como recuerdo.

La vieja lo cogió o, mejor dicho, me lo arrebató, se escurrió como una lagartija hacia el interior de la vivienda y cerró de un portazo que hizo estallar las risas de los niños.

—Ha recuperado su casa —explicó Sefira—. Temía que entraras en ella cuando quisieras, ahora que tenías su retrato.

—¿Tú crees que con un garabato como ése se puede entrar en algún sitio? —repliqué, dando a entender que era capaz de hacer cosas mucho más importantes.

—Hay que saber usarlo.

—¿Ella sabe?

—¿Ésa? No, ésa qué va a saber. Pero teme que otros lo hagan. Lo guardará donde nadie lo encuentre. Si por ella fuera, lo destruiría, pero no lo hará por miedo a dañar la casa.

Por el tono autosuficiente de su voz estaba claro que se incluía a sí misma en el grupo de los capaces de utilizar aquel tipo de cosas para ciertos fines, pero no parecía dispuesta a dar más explicaciones, porque desvió la cabeza hacia otro lado. Algo había llamado su atención, intensa y movediza como la de los gatos.

—Bien, ahora te toca a ti. Voy a hacerte un retrato —dije a la cojita, que había seguido mi breve diálogo con Sefira Toussaint con gran interés.

—¿A mí? —preguntó, señalándose el pecho con el índice y frunciendo las cejas hasta hacerlas juntarse sobre la nariz. La luz de una alegría perpleja centelleaba en sus ojos. Provocar aquel fulgor me llenó del orgullo del hada madrina ante la gratitud de los beneficiarios de su magia.

—¿No quieres?

Amara asintió, muy seria, y se echó a temblar cuando le hice colocarse frente a mí. La pobre niña, que nunca se había encontrado en un trance semejante, no sabía qué cara poner. Acabó haciendo muecas involuntarias que subrayaban el profundo encanto de su fealdad.

Según recreaba su rostro en el papel, advertía en su expresión una pesada carga de amor —¿hacia quién, hacia mí?—, patético como el de una perra. Nunca me habían gustado los perros ni la calidad babosa y jadeante de sus afectos, pero del mismo modo que no habría rechazado la ternura de un chucho destinado a morir en un laboratorio con las tripas fuera o que hubiera sido abandonado en el asfalto, no desdeñaba la pasión que leía en la mirada diáfana de aquella criatura.

Pronto tuve dibujados los dos ojos. Atrapados. Me miraban muy negros desde la blancura del papel. Parecían haber cobrado vida mientras los auténticos se apagaban un tanto, como si el hecho de ser copiados hubiese dañado su luz, hasta el punto de que la modelo se los restregó con los sucios puños. Por primera vez en mucho tiempo sentí el poder, la magia de mi arte y entendí las razones que habían inducido a la vieja a rescatar la imagen de su casa y ponerla a buen recaudo.

Mientras la niña se frotaba los párpados un poco hinchados con la punta de los dedos, Sefira Toussaint aplaudió riendo sin alegría, quizá con una pizca de ferocidad, y se beso las yemas de los dedos, ademán que no supe interpretar. La cojita Amara miró a su vez a Sefira en silencio. Tuve la impresión de estar asistiendo a un duelo desigual, episodio de una tragedia que había comenzado para mí en la playa cuando el martirio de las tortugas, pero que era sin duda más antigua. Estaba claro que aquellas dos se odiaban. «Rivalidades de mocosas», me dije, encogiéndome de hombros.

Hice una pausa para encender un cigarrillo. Mis espectadores más pequeños rieron y me imitaron con muecas y gestos melindrosos. Amara no relajó su actitud de pose. Permanecía muy quieta, sin mover un músculo: era la modelo perfecta, como las muñecas y las muertas. Ahora que, por culpa de la otra, se había apagado la alegría que la había iluminado, la impasibilidad de su máscara no le impedía parecer la viva estampa del desconsuelo. «Es demasiado joven para ser infeliz» me dije; pero en seguida, al recordarme a mí misma a sus años, comprendí cómo podía sentirse, fuera cual fuera la causa: perdida de día y de noche en un océano que sólo ofrecía islas diminutas donde reposar unos instantes. Cuando estaban a punto de abandonar la infancia como le ocurría a aquella, los niños solían pasarlo muy mal.

Tras encajar con carboncillos la nariz y la boca de la pequeña, rodeé la frente con trazos fuertes e irregulares tratando de reducir a la disciplina de la línea su cabellera crespa, en la que una cinta roja establecía un orden precario. La chiquillería seguía las evoluciones del lápiz y comentaba en susurros el parecido. Sefira Toussaint, que se había situado a mi espalda, acercó un dedo aceitunado al dibujo y señaló sin tocarla —salvo con las cuentas de un amuleto de carey que llevaba en torno a la muñeca— la línea de la mandíbula.

—Esto no es así —dijo, muy segura de sí misma. Tenía razón. Rectifiqué la curva, suavizándola.

—Ahora está mejor —aprobó, solemne. Aquella aguda sensibilidad para la imitación me pareció sorprendente en una criatura semisalvaje. Aún no sabía yo que la joven era heredera de una estirpe de dueñas del mar y aprendiza de un arte aun más exigente que el mío en sus relaciones con la naturaleza. No iba a tardar en comprobar hasta qué punto teníamos en común la necesidad de observar y combinar, y de hacerlo con la razón bien despierta si no queríamos producir monstruos —o, igualmente, si queríamos producirlos.

Cuando hube acabado y enseñé a Amara su retrato, la pequeña se maravilló. «Es como cuando me miro al espejo», dijo en un susurro. Sin embargo, era difícil imaginarla desdoblada, a no ser en el agua de un pozo o de una alberca. Cuando le di el dibujo como había hecho con la vieja de la casa de enfrente, abrió mucho los ojos y preguntó si de verdad era para ella. Sefira Toussaint gruño:

—Venga, tonta, cógelo de una vez y no des más la lata.

Lo cogió, me besó furtivamente en la mejilla y se puso a saltar con su pata coja, y a gritar que era suyo, coreada por los demás niños. Pero su alegría no duró mucho. Sefira se lo arrebató y, agitándolo sobre su propia cabeza como un trofeo, echó a correr. El enjambre de niños voló tras ellas. La plaza quedó vacía, silenciosa. Al levantarme, algo cayó de mi regazo: la pulsera de cuentas de Sefira. Se habría deslizado de su delgada muñeca, pensé. Como no podía devolvérsela, me la guardé en el bolso. Por un momento, mientras la tuve entre los dedos, me creí en la playa de las tortugas, amenazada por olas que, sin dejar de ser líquidas, eran duras, de hielo azul y malva en el calor del mediodía. Fue una visión o sensación fugaz, como un destello en el agua.

De regreso hacia el hotel, encontré de nuevo a Amara. Estaba en cuclillas en el umbral de una casa, quizá la suya, absorta en el juego de dispersar con una ramita a unas hormigas que arrastraban una cucaracha muerta. Me detuve a su lado.

—¿No has podido recuperar el retrato? —pregunté, agachándome frente a ella.

Levantó unos ojos graves y se encogió de hombros, pero su gesto no expresaba indiferencia sino un desaliento inerte, espeso como un coágulo. De nuevo me sorprendió que tanta tristeza pudiera caber en un corazón tan pequeño. Le dije que no se preocupara, que le haría otro dibujo. Asintió en silencio y luego, levantándose súbitamente, desapareció en la penumbra del portal. Ya no había en ella amor de perro sino una especie de rencor, que contrastaba con la ternura que me había demostrado a lo largo del día. Y aunque yo no tenía conciencia de haberme portado mal con ella, cuando reemprendí mi camino no pude librarme de la impresión de haber cometido un error muy grave, algo irremediable que me atormentaba precisamente por no saber en qué consistía. Era una sensación tan molesta como la de tener una palabra en la punta de la lengua y no poder recordarla.

Una gota de lluvia se aplastó contra mi rostro con la violencia de un salivazo. Por el lado de las montañas el viento arrastraba nubes espesas, movedizas, y las agrupaba rápidamente sobre mi cabeza. Las que surgían tras el volcán emitían claridades súbitas, cuyo estruendo llegaba cada vez con intervalos menores.

La voz de Sugar y el brillo de sus blancos dientes me sobresaltaron. Salía de las sombras sonriendo con la servicial indiferencia de costumbre.

—He venido a la ciudad a hacer un recado y ahora vuelvo al hotel. Puedo llevarla, si quiere —dijo sin mirarme.

No era la primera vez que aparecía ante mí como el genio de la lámpara cuando le necesitaba. Tenía ese don. Apenas hubimos cerrado las portezuelas del coche, la tormenta empezó a descargar, limpiando el polvo amarillo y los insectos muertos que se habían acumulado en el parabrisas.

—¿Han regresado ya de la plataforma los ingenieros? —pregunté.

—No, señora. Tendrán que esperar a que amaine. El mar está demasiado revuelto para las motoras. Pero no se preocupe: en esta época del año las tormentas no duran nada.

Recordando el temor de Julius y sus compañeros a que un fuerte oleaje provocara un desplazamiento de la mancha, pregunte a Sugar qué opinaba al respecto. Él lo sabía todo sobre la isla, sobre el mar, sobre el volcán y también, aunque era un escéptico, sobre los espíritus que animaban a las bestias según las creencias de los nativos. Respondió que con la mancha no podía uno estar seguro: tan pronto parecía borrarse como se hinchaba y amenazaba con llegar a la costa. No pensaba que la tormenta influyera en ella, al menos esa clase de tormentas, que venían del océano. Había otras realmente terribles, las que se fraguaban en el corazón mismo de la isla, en el interior. Llegado a este punto, se calló como si hubiera dicho una impertinencia. Yo, por mi parte, no entendí bien aquellas sutilezas meteorológicas, seguramente porque me importaba una higa. Lo único que quería saber era si Julius corría peligro. Y también —pero eso parecía un secreto bien guardado— la verdadera naturaleza de la mancha, y si era capaz de las cosas atroces que se le atribuían, como la muerte del ingeniero alemán Theodor Altdorfer, ocurrida antes de mi llegada.

Julius no me había dicho una sola palabra al respecto, pero yo sabía algo, y sobre todo había visto fotos en la prensa. Me había impresionado especialmente una de ellas, en la que dos enfermeros transportaban en camilla el cadáver. A causa del movimiento, uno de sus brazos se había deslizado entre los pliegues de la manta que le cubría, y colgaba hasta el suelo. La luz del flash permitía ver que estaba desollado y que su piel, que no parecía arrancada sino desprendida sin violencia como si la hubieran hervido, pendía del codo, reproduciendo fielmente la forma de la mano como un guante de goma. El extremo, arrastrado sobre la arena, dejaba en ella un surco leve. El brazo en carne viva parecía un modelo anatómico. A partir de entonces la mancha creció, como si se hubiera procurado alguna clase de alimento, según los escandalosos titulares.

Sugar me dejó a la puerta del bungalow. La bombilla del porche estaba apagada, tal vez fundida. Aunque Sugar había tratado de tranquilizarme, no las tenía todas conmigo. Por un momento me vi sola en la isla y tuve un miedo irracional a quedar atrapada, a no saber regresar a mi taller al otro lado del mar. Me alivió recordar que el billete de vuelta estaba a buen recaudo, junto con mi dinero y mi pasaporte, en la caja fuerte del hotel, y al mismo tiempo me sentí mezquina por dejarme asaltar por tales pensamientos cuando Julius y sus compañeros quizá estaban en apuros.

Apenas hube penetrado en la penumbra del vestíbulo, tanteando con la mano hasta dar con el interruptor de la luz, algo pesado cayó sobre mí haciéndome dar un traspiés.

—¡Titina, maldita sea tu estampa, qué susto me has dado!

Se instaló en mi hombro y me abrazó muy zalamera, restregándome la cabecita por el cuello como un gato. Pero no era un gato; era una mona diminuta, cariñosa hasta la exasperación. No se parecía en nada a esos simios grandes y casi humanos que se comportan como viejos rijosos. Se la había comprado por unos dólares a un charlatán del puerto, que se ganaba la vida sacando animales de cestas y de cajetillas de tabaco para hacer patéticas pantomimas con ellos ante un público tan escaso como poco entusiasta. Tenía un escorpión llamado Yugurta, que vivía en un paquete de cigarrillos y era muy hábil en la ejecución de una especie de danza en espiral alrededor de un palo. Ignoro si los escorpiones oyen, pero lo cierto es que cuando el hombre le arengaba, Yugurta obedecía. Su actuación era la más celebrada por los mirones. Mientras tanto la pobre monita, atada al tobillo de su amo con un cordel que le segaba el pescuezo, languidecía de hastío y desánimo. Su trabajo consistía en dejarse coger y acariciar por los niños a cambio de una moneda de cobre, y su principal ocupación, comerse sus propios piojos y tirar piedrecillas —y a veces cosas más sucias— a los transeúntes. Pero un par de veces que yo pasé por delante con mis carpetas de dibujo, se animó y hasta parecía alegrarse de verme. Creí leer un ruego en sus ojos transparentes y acabé comprándola porque, acostumbrada a los gatos que me hacían compañía en el estudio durante las interminables sesiones de trabajo, echaba de menos la amistad de un animal.

Hacerse cargo de un mono cuando uno vive en un hotel no es fácil. No se lo recomiendo a nadie, pero personalmente no tuve motivos para arrepentirme. Titina era una compañía deliciosa y no demasiado alborotadora. Estaba acostumbrada a soportar a los humanos. Su jovialidad natural afloró inmediatamente con el cambio de vida. Emitía unos sonidos que se parecían a nuestra risa de un modo escandaloso, pero sólo superficialmente; no le servían para expresar la alegría sino la ira. A Julius le gustaba jugar con ella. Solía provocarla, tirándole de unos pelos azules que le crecían junto a las orejas. Encantada de que aquella enorme bestia lampiña mostrara interés hacia ella, la pequeña coqueteaba, unas veces por medio de aparatosas exhibiciones de indiferencia y otras desplegando una mímica obscena. Yo me alegraba de que mantuvieran tan buenas relaciones, pero sabía que Julius nunca llegaría a amar realmente a Titina. Aunque le gustaban los animales, no los quería. Para él, entre ellos y nosotros había una barrera infranqueable, una especie de tabú, gracias al cual podíamos devorarlos sin escrúpulos ni remordimientos. Pobre Julius.

Con la mona aferrada al cuello, entré en el bungalow, me cambié de ropa y salí de nuevo a tomar algo mientras aguardaba el regreso de la lancha. La tormenta había cesado. El aire estaba fresco, aligerado por las descargas de ozono y los aromas de la tierra mojada. En la oscuridad del cielo, por la parte del mar ocupada por la mancha, se abrían anchas franjas de un verde muy claro. Era un bello espectáculo, un paisaje de ensueño, pero yo sabía que se trataba del reverbero en las nubes bajas de la grasa corrompida. Quizá era esa luz opalina, espectro de la putrefacción, lo que estaba volviendo loco a Julius. ¿No conduce a veces a la ruina la pasión hacia un objeto vil o fantasmal? Porque lo cierto era que, de pronto, el robusto, inteligente y sensato ingeniero militar no sólo presentaba extrañas mataduras en la piel sino que estaba perdiendo el norte. De nada le servía aferrarse a la botella de ron como a un salvavidas. Durante las pocas horas que pasaba conmigo, me aterraba comprobar que en las mallas de su mente se abrían desgarrones por los que se le escapaban los fundamentos. En ocasiones se quedaba en blanco en mitad de una frase, no recordaba ciertas palabras; a veces, se enfurecía sin motivo o sonreía neciamente. Yo no sabía si todo eso tenía que ver con la mancha, pero aquella tarde, al sentir la fascinación de los colores irreales enviados por el mar al cielo, pensé que los hombres no habían vuelto de la plataforma porque estaban presos de su encanto, y los imaginé acodados en la cubierta del ingenio, mirando sin ver el oro del agua, respirando los miasmas de las algas corrompidas como el perfume de una Circe invisible.

A esa hora solía haber gran animación en el bar del hotel, pero cuando entré estaba casi vacío. La ausencia de los ingenieros y los técnicos se notaba, se diría que creaba una atmósfera luctuosa. Los camareros, generalmente parlanchines y ruidosos, hablaban en susurros, como si hubiera muerto alguien. Me senté a una mesa y pedí un sandwich y una cerveza, que me sirvieron tan tibia como de costumbre. No había forma humana de obtener una cerveza fría en toda la isla.

En un rincón, una mujer vestida de azul claro con un pañuelo blanco a la cabeza pasaba y volvía a pasar una aspiradora por el mismo sitio con aire ausente. Parecía haber olvidado lo que estaba haciendo, pero permanecía encadenada a la máquina en movimiento. El derroche de energías del cuerpo vigoroso en un trabajo sin objeto me fascinaba. Un mozo me sacó de su contemplación para informarme de un aviso que acababa de recibirse por radio: los ingenieros no iban a volver, dormirían en la plataforma. Pero no había nada que temer; no tenían problemas ni había ocurrido nada especial. Simplemente, no podían abandonar el trabajo en esos momentos.

Volví al bungalow. Estaba cansada y nerviosa. Encendí el televisor, pero no logré distraerme. Ni siquiera podía soportar la compañía de Titina. La hice salir de la habitación con engaños y la dejé encerrada en el vestíbulo. No comprendió esa actitud, que seguramente tomó por un castigo injusto. Sus arañazos y golpes de protesta en la puerta del dormitorio me enervaron, pero al cabo de un rato debió quedarse dormida porque reinó el silencio. Temiendo desvelarme y que aquella primera noche de soledad en la isla se me hiciera interminable, me tomé un somnífero y no tardé en caer en un sopor inquieto.

Cuando desperté, la luz del sol inundaba la alcoba. Eran más de las diez de la mañana. Julius no había regresado. Me estiré entre las sábanas, preguntándome qué me iba a deparar la jornada que se extendía ante mí como una página en blanco. Debía trabajar. A eso, entre otras cosas, había venido a la isla, pero la idea de realizar el menor esfuerzo me contrariaba. Desde mi llegada apenas había emborronado un par de telas. Me sentía impotente y apática, abandonada por la tensión que me hacía dominar las formas y los colores. Para tranquilizarme, me decía a mí misma que esta lasitud se debía al espectáculo de los cielos y el mar en la isla, a las flores encendidas y los tejidos de tonos incandescentes, con los que mi paleta no podía competir, y también a la influencia que ejercían sobre mí las escenas que presenciaba en aquel mundo arcaico. Llenas de colorido pero repulsivas e incomprensibles, no me ayudaban en mi trabajo, sólo me servían de distracción inútil. Estaba empezando a preocuparme. En aquella época, la de mis primeros éxitos, cualquier desgana o vacilación me parecía un síntoma de pérdida de facultades.

Cuando finalmente decidí no hacer nada y bajar a la playa hasta la hora de comer, me disuadió el recuerdo de la matanza de las tortugas con todos sus pormenores repugnantes. Además, Julius me había prohibido bañarme: temía que la mancha hubiera contaminado el agua. Me dormí de nuevo, con el rostro hundido en la almohada húmeda de sudor, pero mi sueño fue ligero y breve. Al despertar, una idea me martilleaba en la cabeza: la de visitar el barrio de los Herbolarios, que también tenía prohibido. Hasta entonces sólo había sentido hacia aquel lugar una vaga curiosidad, pero en ese momento la apatía me volvió temeraria: salté de la cama dispuesta a todo.

Las indicaciones que obtuve por el camino, inciertas y contradictorias, no me sirvieron de mucho, y tampoco el plano de la ciudad vieja que me habían dado en el hotel, que parecía el dibujo de un paquete de vísceras. Mi azaroso deambular me condujo a la parte más abandonada de las murallas, cerca del mar, donde algunos mendigos ciegos dormitaban sentados entre excrementos. Un negro en cuclillas me mostró sonriendo varias sartas de piedras rojas, dulcemente irregulares como granos de granada, extendidas en el suelo sobre un viejo chal de algodón. Sentí un deseo tan intenso de poseerlas que se me llenó la boca de saliva. Podía hacer que un joyero sustituyera por una cadenilla de oro la hilacha que las unía. Pero aunque nada me impedía comprarlas y

llevaba dinero en el bolso, no tuve fuerzas para detenerme. La inercia me empujaba hacia delante. Oí la
voz del hombre a mis espaldas: «Eh, gacela, llévate
las piedras del amor. No tengas miedo».

Apreté el paso. El calor era tan intenso que las
cosas, convertidas en espejismo de sí mismas, parecían verse a través de una lámina de agua en conti-
nuo movimiento. El cadáver de un perro con el vientre hinchado se cocía al sol; su imagen era un
coágulo de la calma aplastante que estaba corrom-
piéndolo todo. En los rincones fermentaban montones de basura. Sus agrias vaharadas me hicieron
recordar olores de mi infancia que creía perdidos y
que, apenas recuperados, volvieron a caer en el olvido. Me refugié en la frescura de una calleja abovedada que parecía conducir a alguna parte. Anduve
mucho rato en aquella dirección, escogiendo siempre en las bifurcaciones el lado de la sombra, hasta
hallar a ciegas mi destino.

Todo en el barrio de los Herbolarios tenía unas
dimensiones minúsculas que agigantaron mi propia
estatura, como si de pronto hubiera crecido o me
hallara en el país de los enanos. Los bacalitos, alinea-
dos como nichos en los muros, estaban cerrados,
pero habían quedado flotando en el aire los aromas
de la mañana: yerbabuena, azafrán, canela y las flores

secas del hibisco, con las que se preparaba un brebaje agrio de color rubí que apagaba la sed y, aplicado a los ojos, los libraba de legañas.

Me senté al pie de una fuente de azulejos a fumar un cigarrillo. Al sacar del bolso el mechero, mis dedos tropezaron con el amuleto de Sefira. Lo había olvidado completamente. Estaba formado por cuentas de color marrón rojizo surcado por aguas transparentes, doradas y verdosas. Su vista y su tacto me trajeron a la memoria las últimas sensaciones que había experimentado con Julius, el escalofrío de mi piel bajo su lengua, el calor de su vientre y de su espalda moteada, la dura suavidad de su sexo. Cerré la mano sobre la joya. Cerré los ojos. Me encerré en mí misma como en un caparazón, y entonces sentí que una ola espumosa y turbia se estrellaba contra mi cuerpo, empujándolo hacia una playa de arena oscura. Algo muy rígido, que me protegía, paraba el choque a mis espaldas. El sabor de la sal me inundó como si hubiera tragado agua marina. Unos pájaros ávidos vigilaban el desarrollo de la visión. Esperaban tal vez que la espiral de la fantasmagoría me arrastrara más abajo hasta destrozarme y que la carne de mi alma se convirtiera en alimento para sus cuerpos espectrales. Pero sabían que todo iba a acabar si abría los ojos. Yo también lo sabía. Y al hacerlo vislumbré en una esquina el vuelo de una falda roja, unas flacas piernas de color canela y, muy fugazmente, el brillo de una mirada que me espiaba.

Me levanté y seguí mi camino por el laberinto azul del barrio. En una de las vueltas se abrió frente a mí un gran portal, en cuyas jambas vi signos contra el mal de ojo pintados con almagre o con sangre. Era un hueco oscuro, una gran boca abierta. Incapaz de apartar la vista, me quedé muy quieta, aferrando el bolso de charol rojo con ambas manos contra el pecho como si fuera mi propio corazón.

Aquella casa era un cuerpo vivo, se diría que preñado. Entre las tinieblas, que se aclaraban con luz de acuario al fondo del zaguán, algo enorme y aplastado se movía torpemente, volviendo hacia mí una cabeza de ojos glaucos que me miraban tiernos y acogedores. «Ven, ven», parecía decir, o más bien exudaba su ruego como una baba. Percibí un olor marino como el de las algas muertas o como aquel otro, nuevo y más sutil, que se desprendía de la carne de Julius, y una invitación a penetrar en algo que era más que un portal, la bienvenida de la blanda y al mismo tiempo córnea masa que me saludaba con la dulce mirada de sus ojos verdosos. Tal vez no eran ojos, sino casuales reverberos de una fuente de luz invisible desde donde me hallaba. Verdes me parecieron también los hilos o cordones enredados en la base de unos dedos como garras, y vino a mi memoria el jirón de una canción de corro de mi infancia: «... la madre cochina del hilo verde...». Estuve a punto de sucumbir al amor de la llamada, pero el bolso resbaló de mis manos y al golpearme los pies, rompió la telaraña que me apresaba. Gracias a él pude salir de aquel estado crepuscular y alejarme de allí.

Tratando de encontrar el camino de vuelta, fui a parar a un solanero blanquiazul, una especie de patio en el que vi varias mujeres sentadas sobre esteras. Parecían frutas secas y amargas, como si hubieran soportado durante demasiado tiempo la presión de la ira. Alzaron hacia mí unas miradas en las que leí que mi intrusión les repugnaba. Pero no me intimidaron. Al contrario, la conciencia de hallarme en un lugar prohibido me envalentonó. Entré por una puerta como vi que hacían algunas, que llevaban niñas en brazos o las arrastraban de la mano. Era una capilla llena de gente que oraba en voz alta, daba palmadas y chasqueaba la lengua. No había ningún hombre, sólo mujeres y niñas con el cráneo rasurado, que berreaban como si las hubieran sometido a tortura. En el ambiente flotaba un vaho de sangre y lágrimas. Sangre menstrual, pensé, porque había en su olor notas embriagadoras, pero no lo era; era la

sangre virgen de las pequeñas, la de su primera herida, para algunas mortal. Al salir a la calle por un por-
tillo medio oculto entre jazmines, casi tropecé con
un muchacho que llevaba varias salamandras secas
ensartadas en un alambre. A cambio de un paquete
de cigarrillos me sacó en un instante de aquel dédalo
por la puerta de las Agujas.

A Julius solía gustarle que le contara mis andanzas, incluso que las convirtiera en aventuras, pero
cuando traté de distraerle con los pormenores más
estrafalarios de mi excursión, apenas me escuchó. En
un tono cordial que no logró disimular cierto des-
dén, dijo que el calor me hacía ver visiones. Parecía
mentira que no durmiera la siesta después de comer,
en lugar de dar vueltas por ahí como una vagabunda.

—¿Que duerma la siesta? —repliqué—. Ya la
duermo. ¿Y qué quieres que haga el resto del tiempo?
Me paso el día sola. Apenas te veo. No voy a quedar-
me aquí encerrada esperándote...

No me reconocía en mis propias palabras: según
iban saliendo de mi boca, me parecía que era mi
madre quien las pronunciaba. Le había oído muchas
veces dirigírselas a mi padre, tristes y eternos ayes de
mujer lamentando un abandono que ella misma
segregaba como un caparazón en el que refugiarse.
Desde que tuve uso de razón la desprecié por ello. Y

ahora las decía yo, la artista, la joven libre e intrépida. El rostro me ardió de vergüenza.

Julius cerró los ojos con aire fatigado y se quitó de encima a Titina, que intentaba meterle los dedos en una oreja. La mona emitió una carcajada de ira antes de desaparecer por la ventana abierta.

3

El domingo Julius amaneció de buen humor. Lo noté en el abrazo y el beso cariñoso con que me despertó y en la claridad de sus ojos, limpios como su cabello húmedo y su rostro enrojecido por el paso de la cuchilla. Envuelta aún en la tibieza del sueño recién abandonado, le vi tal como era antes, hermoso en su alegre gordura, fuerte, pletórico de energía, capaz de abatir todos los obstáculos del camino de ambos. La camisa celeste y los pantalones de color marfil, que unas manos oscuras habían planchado con esmero, le daban un aire deportivo o más bien el aspecto de hombre de acción que me sedujo cuando le conocí. Estaba muy atractivo. Incluso parecía joven. Después de todo, lo era. Acababa de cumplir cincuenta años, el doble que yo. También pesaba el doble. Pero no todo guardaba esa proporción entre nosotros.

—Por extraño que parezca, el café está caliente —exclamó con una sonrisa cómplice, señalando el desayuno que humeaba sobre la mesa. Ambos sabíamos que era imposible conseguir que a los muchachos del bar no se les enfriara en el trayecto hasta el bungalow. Sin duda lo había traído él mismo—. ¿Quieres tomarlo en la cama?

Aquella amabilidad no era extraña en él. Lo raro era que la desplegara en ese escenario, en el que vivía replegado sobre sí mismo como un feto en alcohol.

—No. Me levanto ahora mismo. Desayunar en la cama me hace sentir enferma —respondí alegremente, tratando de estar a la altura de las circunstancias. En realidad no las tenía todas conmigo. Esperaba que de un momento a otro sonara el teléfono reclamando su presencia en la plataforma o que ocurriera cualquier cosa que le sirviera de excusa para alejarse de mi lado.

Habló mucho mientras comíamos. Estaba tan comunicativo que incluso dijo que el trabajo progresaba con rapidez y quizá lo terminaran antes de lo previsto.

—¿Váis a acabar con la mancha? —pregunté.

—No. La mancha no desaparece: sólo se desplaza, aumenta o disminuye. Pertenece a este sitio y ya es bastante si se logra mantenerla a raya. La verdad es que tiende a aumentar. Pero, por nuestra parte, casi hemos acabado. Los medios de que disponemos en la plataforma no dan más de sí. Estamos llegando al final de nuestra misión.

—Nunca he entendido bien en qué consiste esa misión vuestra, y todavía no he conseguido que me lleves a la plataforma. Empiezo a pensar que lo que estáis haciendo no se puede enseñar —dije en tono de reproche jocoso, tratando de tirarle de la lengua, ya que estaba tan bien dispuesto—. Tal vez algo poco claro, que puede disgustar a Green Peace o a los nativos. Algo relacionado con el petróleo.

Me miró sonriendo. Su rostro parecía haber recuperado los rasgos fuertes y sensitivos que me recordaban viejos retratos heroicos de emperadores romanos, salvo los ojos azules, que eran ojos yanquis, pequeños y duros, de policía de película. Pero, aunque todos los encantos de la máscara brillaban intactos en aquel momento, no bastaron para hacer rebrotar mi amor con la fuerza de otros tiempos, porque algo seguía faltando en el conjunto: precisamente aquello que antes me transmitía una sensación de absoluta confianza y seguridad. No lograba volver a sentirme fundida con él. En el fondo no lo deploraba: la fusión amorosa me robaba las fuerzas, mientras que estar fuera de él me hacía recuperarme a mí misma. O quizá era simplemente que, según crecía, dejaba de necesitarle.

—No seas novelera, cariño, esto es menos extraordinario de como tú lo ves. El petróleo que había en la bolsa submarina se agotó hace años, y los sufrimientos de esta gente pasaron a la historia. En definitiva, ¿qué quieres saber? Comprendo que la mancha te intrigue, pero es sólo aceite vegetal podrido. Nada más. Nuestra misión consiste en depurar el agua en colaboración con el barco basurero, pero sobre todo en tomar muestras y analizarlas. Hay que determinar el grado de contaminación que hace falta para que las algas proliferen, se corrompan y forman la melaza, y si esa contaminación procede del continente o de la propia isla.

Todo eso ya lo sabía, y era tanto como no saber nada. Me pregunté por qué hablaba de muestras y análisis un ingeniero especialista en mantenimiento de plataformas de extracción de gas, pero como me di cuenta de que la conversación estaba poniendo melancólico a Julius —de hecho, el brillo de sus ojos había empezado a apagarse—, cambié de tema y no insistí en los rumores que había oído sobre la reapertura del pozo de oro negro que hizo desdichados a los isleños tiempo atrás sin procurarles el menor beneficio.

—¿De verdad tienes el día libre? ¿Has pensado en lo que vamos a hacer? —pregunté.

—Sí. Te llevo de excursión —exclamó como un padre que hubiera logrado entusiasmarse con la idea de sacar a sus hijos un rato al parque—. ¿Dónde está la cámara fotográfica?

—Me parece haberla visto en tu maleta verde. Ten cuidado de no mancharte con ella: a la funda le han salido hongos de la humedad. ¿Puedo llevar a Titina?

—No. Y ten cuidado de dónde la dejas. Me han dicho en recepción que está destrozando el empapelado del vestíbulo y las pantallas de las lámparas.

Efectivamente, la mica se comía el papel de la pared, del que arrancaba tiras como pieles de plátano, y además arañaba los muebles y los objetos. Pero se quejaban de vicio. Aquel hotel no era precisamente el Hilton y su deterioro databa de mucho tiempo atrás. Desde el abandono de la plataforma no se habían molestado en remozarlo. Y lo peor no era su aspecto sino el hecho de que todo funcionaba mal en él, desde los televisores hasta los ruidosos aparatos de aire acondicionado.

—Pues diles que estén tranquilos, que pagaré los desperfectos —repliqué.

—No se trata de eso. Es que no se puede tener un mono encerrado en la habitación. Deberías soltarla.

Si quieres, puedo decir a Sugar que se la lleve al bos-
quecillo del volcán. Allí hay una colonia de lémures.
Seguro que hace amistades en seguida. Estará mejor
que contigo.

—Ni hablar. Es mía y la quiero. ¿Por qué te
molesta todo lo que me gusta? —dije enfurruñada.
Pero él estaba buscando la cámara en el otro cuarto y
no me oyó o no quiso seguirme la corriente. Pensé
que en caso de que Titina desapareciera; al menos ya
sabía cuál iba a ser su destino. No parecía malo. Los
lémures no le harían daño.

La mañana era nublada y húmeda. La tierra arcillo-
sa, encharcada por la última tormenta, se adhería a las
suelas de los zapatos. En el breve trayecto a pie entre el
bungalow y el aparcamiento, nuestros rostros empezaron a brillar de sudor y las camisas se nos pegaban a las
espaldas. Los árboles, los muros, la carrocería de los
vehículos, todo parecía sudar. Acababa de lavarme el
pelo y tenía la sensación de que no se me iba a secar
nunca. Pendía mojado sobre mi frente destilando
gotas tibias que se me deslizaban por el arco de las cejas
hasta el cuello. Julius perdió en seguida el aspecto fresco con que me había sorprendido al despertar. Las
manchas de sudor en su ropa se aliaron con una lividez
grisácea que se extendió por su cara dándole un aspecto sucio y viejo, como si de pronto se hubiera oxidado.

Sugar nos llevó a la ciudadela. Aunque era hombre de pocas palabras, cuando estaba con Julius experimentaba una curiosa transformación. Se le desataba la lengua, hacía muchos gestos y ademanes teatrales, y empleaba un lenguaje ampuloso. Cuando Julius le pidió que nos llevara a visitar el fuerte portugués, ponderó mucho el monumento pero dijo que había que tener cuidado con las corrientes de aire que soplaban en los corredores y con las escaleras de piedra, siempre mojadas, que habían provocado algunas caídas graves. Peligros interiores, curiosamente, cuando aquel castillo había servido para defenderse de los piratas que venían de fuera; y demasiado anodinos para un lugar donde los hombres se jugaban la vida traficando con las materias más preciosas de la tierra: la carne humana y las especias que hacen comestibles los alimentos inmundos.

Imaginé un castillo erizado de cañones en cuyas entrañas dormía un tesoro de joyas resplandecientes, sacos de doblones y bolsas de polvo de oro, cuyos guardianes, convertidos en esqueletos dentro de sus casacas apolilladas, permanecían en sus puestos. En realidad era una pequeña fortaleza marítima, convertida en museo merced a la colocación en las paredes de unos cuantos rótulos, y unos cordones de seda roja alrededor de piezas tales como basas de columna y algún mueble viejo. Estaba construida con sillares de piedra negra cortados tan limpiamente como tacos de queso, tapizados de un musgo tierno, que en unos lugares era de color verde esmeralda y en otros naranja o dorado. Las partes ruinosas se habían inundado con las lluvias de la noche anterior. Se conservaban en muy buen estado algunas enormes puertas. Sus potentes cuarterones de ébano, tallados en arabescos, revelaban un origen exótico. Debían haberlas traído desde el otro lado del mar los mismos barcos que transportaban a los esclavos.

A Julius le interesaba mucho la arquitectura militar. Contemplando aquellos muros, cuyos materiales, salidos de las entrañas del volcán que dio origen a la isla, habían sido sometidos al rigor de la forma poliédrica, resoplaba de satisfacción como si el resultado fuera obra suya. Mientras paseábamos por las ruinas, me fue explicando las razones que hacían que, a su entender, la arquitectura militar fuera la más funcional. Le escuché de mala gana, oponiendo una resistencia terca a la penetración de sus consideraciones en mi espíritu, porque si bien aquel entusiasmo era auténtico, parecía falso por contraste con la amargura silenciosa de los días anteriores.

Además, mientras le oía hablar de soportes y arquitrabes, sentía una humedad pegajosa entre las piernas y un dolor me cruzaba en diagonal el vientre desde la cintura. Pensé que había empezado a menstruar. Repase mentalmente el contenido de mi bolso sin resultado. No llevaba nada que ponerme. Estábamos lejos del hotel y era difícil encontrar por allí algo adecuado. Tanto llegó a preocuparme esta eventualidad que sentí la necesidad inaplazable de comprobar mi estado, así que pedí a Julius que fuéramos a un bar que había visto cerca de la entrada.

El tiempo había empeorado. La lluvia enfriaba jirones del aire sin aliviar el bochorno, que seguía siendo irrespirable. Dejé a Julius tomando un café en la barra con Sugar y me dirigí al retrete, situado en un corral junto a la cocina. Para abrir la puerta tuve que espantar varias gallinas que correteaban, atontadas y sucias, bajo la lluvia. El interior diminuto, hediondo e iluminado por una bombilla que colgaba del techo suspendida de un cable, estaba chapado con azulejos blancos brutalmente rotos para dar paso a las cañerías. El zócalo se remataba con azulejos más pequeños, adornados con un motivo de granadas abiertas. En sí mismos no tenían nada de particular, había visto muchos iguales en otros lugares de la isla, incluso en el hotel Cartago, con los mismos frutos de dibujo tosco, rebosantes de granos de un rojo encendido. Pero al notar que algo blando reventaba bajo la suela de mi zapato y mirar al suelo, vi muchos granos auténticos, unos de color rubí, otros de un nácar blanco casi transparente. Me sobrecogió una sensación de estupor y estuve un rato mirando alternativamente los reales y los pintados. No pensaba en nada, me limitaba a mirar hasta que por sí mismos se fueron fundiendo e identificando y llegaron a ser la misma cosa. Esta aberración me produjo un malestar tan violento que tuve que apoyarme en el lavabo. Cerré los ojos, tratando de no pensar. Temía que los azulejos empezaran a vomitar ante mi vista borbotones de aquellos tiernos granates. A pesar de ser amante de toda maravilla, la inminencia de un milagro, aunque fuera tan modesto, me resultaba intolerable.

No tenía la regla, había sido una falsa alarma. Un somero cálculo de fechas me indicó que, efectivamente, era imposible; faltaban al menos diez días. Cuando el dolor volvió, supe que la culpa era aquella humedad que convertía el aire de la isla en una gelatina viscosa como la sangre. Además se metía en la cabeza, la embotaba. Había que hacer un esfuerzo para pensar. La vuelta al hotel fue menos alegre que la salida.

En los días que siguieron desapareció todo rastro del Julius juvenil que había emergido por un momento.

Por mi parte, dejé de sentirme abatida y empecé a reconocer que estaba atada a un hombre decrépito, sumido en una borrachera permanente. Ni su mal era pasajero ni mi desamor parecía tener remedio. Aunque me resultaba doloroso, me obligué a mirar de frente ambas cosas, que en definitiva eran una sola.

Los pocos ratos que pasaba en el bungalow se dedicaba a escribir fórmulas interminables o a esbozar pequeños dibujos de máquinas en hojas que luego arrugaba con violencia. A veces se levantaba en plena noche a hacer anotaciones. Desde la cama veía su espalda encorvada sobre el escritorio y el halo de luz de la lámpara aureolando su escaso cabello rubio. Por la mañana examinaba las cuartillas con aire perplejo, para acabar estrujándolas y arrojándolas al suelo. La monita se precipitaba hacia aquellas bolas crujientes. Le encantaba jugar con ellas hasta que se cansaba, pero ni siquiera entonces las abandonaba: las escondía, porque de lo contrario él se las arrebataba y las guardaba celosamente en sus bolsillos. La chica de la lavandería solía devolverlas metidas en una bolsa de plástico cuando nos traía la ropa limpia.

El primer día que recibí de sus manos la bolsita llena de bolas de papel, tuve que contener la risa mientras le daba una propina. Luego fui hacia Julius, que estaba sentado en el escritorio con otras hojas arrugadas a su alrededor, y zarandeé la bolsa ante su rostro. Tardó un momento en reconocer en aquello el resultado de tantas horas de trabajo, pero luego se sumó a mi risa y enlazándome con fuerza por la cintura, hizo que me sentara en sus rodillas. Jugamos un rato con el inocente objeto, yo a esconderlo en mi espalda y él a quitármelo. Fue el momento más delicioso de mi estancia en la isla. Julius abandonó su abismo por un instante, jovial y despreocupado, pero sólo fue para tomar aire y volver inmediatamente a unas profundidades a las que yo no podía seguirle porque no me lo permitía.

4

Una tarde me dormí en la arena con la frente apoyada en el brazo, en el que me había ceñido el amuleto de Sefira Toussaint a modo de pulsera, como lo llevaba su propietaria, y supe con absoluta seguridad que los latidos de un corazón enorme, arrojado a la playa por la marea, regulaban el ritmo de las olas. Incluso podía verlo. Era como un globo anaranjado que se hinchaba y se deshinchaba. Estuve muy cerca de conocer la naturaleza secreta de la mancha, que en el sueño estaba unida a ese corazón y ese ritmo, pero un movimiento de Julius me despertó.

Se había quedado dormido apaciblemente a mi lado, refrescado por la brisa a la sombra de un bastión de la muralla. Tal vez por efecto de la postura, una sombra morada se extendía por su frente como

una mancha de podredumbre. La pesadez de su respiración me hizo pensar que un fuelle invisible le
hinchaba los pulmones a intervalos regulares. Murmuró algo que no entendí. La verdad es que procuré
no prestar atención. Me aterraba que la gente hablara en sueños; siempre temía que sus palabras me
revelaran algo sucio acerca de mí misma. Encendí un
cigarrillo y contemplé el mar con el ceño fruncido.

Empezaba a echar de menos los viajes en metro,
los minicines, las estatuas de los puentes, el olor a
aguarrás y yeso de mi taller, la brega con críticos y
galeristas, mis amistades, los problemas que había
dejado pendientes. Todo aquello formaba parte de
mí misma como mi piel y mis huesos. Al abandonar-
lo, corría el riesgo de disolverme en el aire. De
hecho, casi me había borrado, pasmada ante colores
y formas que era incapaz de recrear y vagando por
aquel mundo inconsistente al que no me unía nada.
Debía volver antes de que fuera demasiado tarde
para mí como tal vez lo era ya para Julius.

Tratando de calmar mis nervios alterados y pensar
sin la proximidad paralizadora de su cuerpo, me
levanté y di un paseo cerca del agua, turbia de arena
y algas amarillas, las mismas que, al descomponerse,
formaban la mancha. De vez en cuando surcaban el
aire caliente ráfagas más frías, portadoras de un pol-

villo impalpable de cenizas volcánicas que se pegaba a los labios, llenando la boca de una dulzura insípida. Un papel empujado por la brisa se adhirió a mis tobillos. Aunque estaba sucio y arrugado, lo reconocí antes de inclinarme a cogerlo.

Era un dibujo mío, el retrato de la cojita Amara, desfigurado como si lo hubieran sometido a tortura. Los ojos estaban cubiertos por unas gotas oscuras que me parecieron sangre seca. Sobre ellas se veían al trasluz unas líneas marcadas con pinchazos de alfiler, que trazaban un rombo inscrito en el circulo de cada iris. Este hallazgo actuó sobre mi estado de ánimo como un tónico. El hastío y la tristeza cedieron el paso a una especie de embriaguez, al tiempo que las avenidas, catedrales y tubos de neón de mi nostalgia se evaporaban.

Me lo guardé, y de vez en cuando lo miraba. A medida que transcurrían los días, la fascinación que ejercía sobre mí fue en aumento hasta obsesionarme. Conocía esa dolencia. La había padecido con unos grabados de cabezas cortadas de un libro que cayó en mis manos cuando tenía doce años. Era un tomo de una revista encuadernada que formaba parte de la biblioteca de mi abuelo. Una de aquellas cabezas, mal segada por el hacha hasta el punto de haber perdido el mentón, se había deslizado en mi interior y allí se descompuso, se abrió y dejó escapar sus semillas. Cada vez que oía o leía la expresión «plantas de interior», me acordaba de ella. Me preguntaba cuántas especies de mi flora se deberían a aquella siembra. Seguramente muchas, quizá las más tenaces.

Lo mismo ocurrió con mi propio dibujo punzado y ensangrentado. Se metió dentro de mí y llegó a apoderarse de mis sueños.

En ellos asistía a la lenta apertura —como la subida de un telón de blanda piel muerta— de unos ojos cuyos iris iban desplazándose hacia arriba hasta desaparecer, dejando sólo visible la esclerótica. Durante un instante de alivio creía encontrar un asidero al reconocer los de las estatuas ciegas que copiaba cuando era estudiante en las heladas aulas de la facultad. Pero, sin transición ni metamorfosis, sobrevenía un nuevo espanto: eran los ojos del mar en plena tormenta, del color de las olas sucias de arena y de restos podridos del fondo. Ojos seccionados que destilaban una gigantesca gota cristalina, no lágrima sino flujo de entraña, la líquida intimidad de la máquina.

Había otros elementos en aquella película infernal que afectaban al tacto y al oído, durezas óseas y blanduras elásticas de membrana, chapoteos, la mirada vacía de la niña coja saliendo del agua con las greñas lamiéndole las mejillas y los globos de los ojos reventados.

Al despertar todo se disolvía como un copo de nieve al calor de la mano.

Una noche emergí bruscamente de una de aquellas pesadillas marinas, la más cruel y suntuosa, que había logrado desplazar a los grandes sueños: una orgía de efectos especiales, luces, colores iridiscentes, cambios de decorado, ojos abiertos como melones por cuchillos empuñados por manos que se perdían en las sombras y olas de gelatina amarilla que me arrebataban a Julius. Eran las cinco de la madrugada, hora silenciosa y fresca, perfecta para dar media vuelta y seguir durmiendo, pero un impulso ajeno a mi voluntad me atraía fuera del bungalow hacia la playa. No me resistí, quizá porque creía estar aún en el interior del sueño. Cuando quise darme cuenta, me hallaba en medio del vestíbulo del hotel sin saber cómo había llegado hasta allí. Titina se aferraba a mi cuello, muy contenta de que la sacara a pasear. Desorientada y confusa, me sentí incapaz de volver al bungalow. Seguí andando. Me vendría bien respirar la brisa marina, me dije.

Los guardas tomaban café en la caseta de la entrada. Hubo —o a mí me lo pareció— un ligero retintín en su saludo por lo intempestivo de la hora, pero no me preguntaron nada. Por un momento temí que me detuvieran, como si fuera una niña y me hubieran sorprendido haciendo algo malo. Sugar ya estaba levantado, lavando el coche. No me saludó. Pensé que se hacía el distraído para no ponerme en evidencia, pero lo más probable es que, simplemente, mis andanzas le trajeran sin cuidado.

A medida que me acercaba al mar, el silencio se convertía en rumor y el rumor en bramido. Crucé el barrio de pescadores, desierto salvo por algunas sombras pálidas que se desplazaban como espectros junto a los muros azules. La anchura de las calles aumentaba como la de un río cerca de su desembocadura hasta desaparecer en una desolación de casuchas a medio construir y sin embargo ya mordidas por la ruina, dispersas entre montones de chatarra y escombros en las proximidades de la playa.

La brisa me azotaba el rostro. Me dolía la garganta. Deshecho en espumas salivosas bajo el cielo sucio, el mar jadeaba. A lo lejos vi parpadear las luces de la plataforma, rojas y azul zafiro como las de las pistas de aterrizaje. La regularidad de su intermitencia contrastaba con la agitación convulsa del mar. En lugar del tono dorado habitual, la mancha presentaba un repugnante color marrón.

El viento y la arena entorpecieron mis pasos hasta que vi un grupo de niños congregados en la orilla; entonces, como si me hubieran brotado alas en los talones, corrí a su encuentro con la ligereza del sueño, sintiéndome una de ellos. Cuando estuve en su círculo, respiré aliviada. Había llegado a mi destino. Me recibieron con mucho jolgorio e hicieron grandes fiestas a Titina, que los miraba asustada desde mi hombro. Sefira Toussaint me saludó con la mano. Eché de menos a la cojita Amara. Extraña ausencia: esa niña me había parecido siempre la sombra de la otra. Pero era natural. Yo ya sabía, aunque no podía creerlo, lo que le había pasado.

Estaban haciendo algo que me resultaba familiar por haberlo presenciado una vez, pero ahora no eran chicos quienes protagonizaban la carnicería sino muchachas. Y su actividad no era un juego ni un trabajo; tenía un aire más solemne, más feroz, que las transfiguraba. Forcejeaban gritando, aparecían y desaparecían empapadas entre la espuma de las olas, hasta que consiguieron atrapar y arrastrar a la arena una tortuga no muy grande. Cuando estuvo cerca, el animal levantó hacia mí lo que quedaba de sus ojos, dos orificios sangrientos como los del dibujo.

Reconocí en la bestia la misma resignación desesperada que había visto en el rostro de Amara cuando, despojada de su retrato por la otra, me había mirado entre lágrimas en la penumbra de un zaguán. El dolor de la tortuga martirizada no era algo que viniera del mar indiferente, sino de las calles, de las plazuelas, de los frescos umbrales donde habitan el amor y la humillación, donde el dedo mojado en la lágrima que se desliza por la mejilla traza cansinos dibujos en las baldosas. Era un dolor humano, una petición de clemencia, pero nadie la ayudó, ni siquiera yo.

Cuando las niñas comenzaron a afanarse con los cuchillos en su cuerpo, bramó. Y su bramido no era el de un animal sino un lamento casi articulado, escalofriante, como si fuera a ponerse a hablar, como si un muerto hablara, como si hablara una de las cabezas segadas, hirsutas, del viejo volumen que siempre se abría por la misma página. Viví sin aliento la experiencia de hallarme ante un gran desorden, y supe ya con certeza que la niña coja y la tortuga formaban una unidad en virtud de algún poder de mi dibujo, pero no me sentía culpable, quizá porque la mirada de los ojos hechiceros de Sefira Toussaint me enviaba un mensaje tranquilizador. Todo estaba bajo control.

Cuando la tortuga ya no fue más que un montón de basura, las muchachas se dispersaron en pequeños grupos hacia la ciudad, menos Sefira, que permaneció en cuclillas junto a mí. Parecía muy satisfecha, tanto que había perdido la seriedad que constituía su mayor atractivo. La tomé por los hombros y le pregunté qué significaba lo que acabábamos de presenciar.

—No es cosa tuya —contestó con una sonrisa radiante, que no iba dirigida a mí.

—Dime sólo si esto ha tenido algo que ver con mi dibujo —insistí.

No respondió. Se levantó como dando por concluida la representación. En un último intento de retenerla, desprendí el amuleto de mi cuello y traté de devolvérselo, pero la chica se encogió de hombros.

—Quédatelo, es tuyo. Te lo di a cambio del retrato. Tiene virtudes del mar y está hecho con concha sagrada. Lo hizo mi abuela con sus propias manos. Madame Toussaint. ¿Es que no lo quieres? Si no lo quieres, eres tonta.

Sin esperar mi respuesta, se alejó con zancadas de muchacho y desapareció, tragada por una brecha de la muralla. Yo permanecí sentada sobre los talones en la arena junto al sangriento amasijo de la tortuga ciega. Un poco más allá estaba el caparazón, abandonado. Eché de menos a los pájaros hambrientos de la otra vez, pero ¿qué animal iba a querer alimentarse de aquella carne? Titina se descolgó de mi hombro y alargó un dedo hacia ella con cautela. Su contacto pareció hacerle el efecto de una descarga eléctrica. Expresó su espanto con una risita histérica y volvió a encaramarse a mi espalda, agarrándose temblorosa a mi cuello y al amuleto que, de nuevo, lo rodeaba. Sus tirones me hicieron daño. Me llevé las manos a la garganta para aflojarlo.

Al sentir el tacto de las cuentas en los dedos, tuve la impresión de que el mar se había detenido, congelándose en una turbia mineralidad. El cielo de plata se endureció. El tiempo dejó de fluir y quedó en suspenso hasta que una ola, al estrellarse contra las rocas, puso de nuevo en marcha el mundo. Me estremecí como si saliera de un sueño. No fue, sin embargo, un despertar sonámbulo como el anterior. No estaba desorientada ni necesitaba explicarme a mí misma qué hacía allí, era más bien un leve cambio de dimensión o simplemente de ángulo dentro del mismo espacio.

Una punzada en el estómago me hizo desear un buen desayuno. Titina estaba malhumorada porque también tenía hambre. Sus ojos de color avellana, iluminados por el joven sol que se abría paso entre la niebla, eran los de una criatura sin más misterio que el propio de su condición animal. La estreché riendo contra mi pecho y la besé en la cabecita, reconfortada por su sano olor a bestia.

De regreso al hotel caminando por la playa, me crucé con la lancha de Julius y sus compañeros, que se dirigían a la plataforma protegidos del fresco de la mañana por sus anoraks de colores. Les saludé con la mano y me devolvieron el saludo alegremente. Las calles habían empezado a llenarse de gente, y el aire de voces y risas. El mundo había recuperado un pulso tan tranquilizador que me sentí dueña de mí misma, como en casa. Estaba contenta, tenía deseos de pintar y me creía con fuerzas para hacerlo en cuanto hubiera fumado el primer cigarrillo del día tras las tostadas y el café. Pero más tarde, enfrentada al desafío de un lienzo virgen para el que tenía grandes proyectos, sólo fui capaz de prender en él una falsa hoguera de amarillos que ni de lejos correspondían a mis intenciones. Aquel día el olor frío de la pintura acrílica que tanto me gustaba, me dio náuseas. Acabé destrozando la tela con la contera de una brocha. Luego, no sabiendo qué hacer, me tumbé de bruces en la cama y dejé pasar las horas en un marasmo de inactividad más agotador que un trabajo frenético, envidiando a Julius por su cruzada contra la mancha; aquello, por lo menos, tenía sentido. Quizás acabara consumiéndole, pero era peor no hacer nada, yacer inerte como yo, abandonada por la fuerza con que antes era capaz de enfrentarme al vacío y enmascararlo con los colores de mi paleta. Hasta Sefira Toussaint tenía en su arte una razón para vivir. Conocía secretos que le daban poder sobre las criaturas de la naturaleza y no sobre imágenes sin vida.

Entonces más que en ningún otro momento, más incluso que ante la suerte enigmática del reptil sacrificado, creí en ese poder y lo deseé para mí. Pero ni la creencia ni el deseo tenían auténtico espesor. Eran también imágenes. Estaba muy confusa y lo único cierto era que me dolía la cabeza.

5

A partir de entonces abandoné mis reservas. Me abandoné. Ya que no podía pintar, me dediqué a explorar por mi cuenta los alrededores durante las ausencias de Julius. Un día fui al islote. Ignoraba su existencia hasta que di con una vieja postal de bordes abarquillados mientras examinaba distraídamente el tarjetero del hotel. Aquella foto descolorida tenía un vago parecido con el cuadro de Böcklin titulado *La isla de los muertos.* Al darle la vuelta, leí: «La Hija». ¿La hija de quién? Como el mostrador de recepción estaba desierto y no había nadie que pudiera informarme, pregunté a una chica de la limpieza. La mujer echó un vistazo a la cartulina sin tocarla, como si temiera infectarse.

—La Hija es la islita de enfrente —dijo señalando con la mano hacia uno de los ventanales del vestíbulo, por el que se veía el mar.

Así que había otra isla. A juzgar por la postal, era un peñón volcánico bastante inhóspito, del color del pan, manchado de negro por la lava como lo está de blanco el peñasco de Böcklin por el afloramiento de colosales vetas de mármol. Unas líneas claras dibujaban en la ladera una especie de necrópolis. Sugar, que acababa de entrar limpiándose las manos con un trapo, me explicó que se trataba de viviendas trogloditas. No parecía participar de mi interés, sin duda porque ningún cuadro simbolista enturbiaba su visión de la realidad. Para él La Hija no era más que una roca en medio del agua.

Tampoco a mí se me había perdido nada en aquel peñasco, pero cuando supe que el transbordador que iba al continente pasaba cerca de él y se detenía a dejar o recoger pasajeros, decidí hacer una excursión. Naturalmente, no dije nada a Julius. Sabía que no me lo hubiera permitido.

La mañana que tomé el transbordador me sentía muy bien, casi eufórica. Había llovido mucho por la noche, pero el día se presentaba radiante. Sorteando los bultos de los viajeros y sintiendo crujir bajo la suela de mis botas de lona los cuerpos de gruesos escarabajos irisados que subían de la bodega, conseguí ocupar un banco en la popa a la sombra de un toldo a rayas. Me entretuve contemplando el espectáculo de la cubierta, ocupada por la comitiva de una boda. La novia, una niña dorada como un ídolo, brillaba de tal modo que hacía daño a la vista. La rodeaba una constelación de mujeres de la familia embutidas en vestidos de seda muy ajustados. A una de ellas se le había reventado la costura de una manga, y su axila blanca y peluda asomaba por el descosido. Atribuí a aquel trozo de carne, que atraía misteriosamente mi atención, el origen del olor que reinaba en el barco sin que la brisa pudiera disiparlo. Más bien lo transportaba hasta allí, porque en realidad provenía de la mancha y yo lo sabía. Era el mismo que a veces percibía vagamente en la piel de Julius.

Mientras esperábamos la salida, vi asomar por el extremo de una escalerilla la cabecita de Sefira Toussaint. Miró a todos lados, evidentemente buscándome, porque al verme sonrió y se acercó a mí. Me tendió un cucurucho de papel de periódico que contenía albaricoques maduros. Cuando alargué la mano para cogerlo, nuestros dedos se rozaron un instante. En los míos quedó la sensación de un escozor ligerísimo, como si hubiera roto el vello cristalino de una ortiga y su ponzoña se difundiera bajo mi piel.

—Sé a donde vas —dijo la muchacha—. No es un buen sitio. Sólo hay polvo y calor. Volverás en seguida a la isla.

—Volveré en seguida, sea el sitio como sea —repliqué con cierta brusquedad, molesta y halagada por el control al que me sometía.

El olor de su piel morena y el tintineo de los amuletos que colgaban de su cuello me embriagaron, o quizá fue la visión de sus pequeños pechos cónicos a través del escote de su vestido cuando se agachó. Su forma y su frescura invitaban a alargar la mano para acariciarlos. Eran lo único de su persona que ofrecía un aspecto juguetón, en las antípodas del casto rostro impenetrable. Me dio la impresión de que quería algo de mí, y aunque traté de averiguar qué era, la sirena de partida interrumpió nuestro coloquio antes de que se decidiera a formularlo. Sólo le dio tiempo a decirme que me fijara en «el hombre rubio del islote», como quien recomienda una atracción turística a un viajero. Mientras el barco se alejaba, la vi sentada en un amarradero del muelle, diciéndome adiós con la mano. De lejos parecía una más de los muchos niños que zascandileaban por el puerto.

La vista de La Hija no me produjo la menor emoción. Al natural y a pleno sol, no se me hubiera ocurrido relacionarla con el cuadro de Böcklin; incluso carecía del encanto ingenuo de la postal descolorida. Era un simple pedrusco en el que se adivinaban las líneas claras de las casas excavadas en la roca y pintadas por fuera con cal. Sólo los arroyos de lava negra salidos de la Isla Madre, de la que se había desgajado, y las vetas verdiazules de unas antiguas minas de cobre animaban algo su insignificancia.

Lo que sí me sorprendió fue el transbordo a la barca que debía conducirme hasta allí. No me había parado a pensar cómo iba a realizarse la operación en medio del océano, pero desde luego no me imaginé que bajando por una escalera de cuerda a fuerza de brazos y con la ayuda, física hasta la sofocación, de un par de individuos sudorosos; de haberlo sabido, quizá no me habría animado a embarcar, porque yo era muy cobarde para las acrobacias.

Suspendida en el vacío y cegada por destellos que me hicieron confundir el cielo con el mar como si el mundo hubiera dado la vuelta, estuve a punto de caer al agua a pesar de que un marinero me sujetaba por la cintura mientras un hombre de la barca —un monstruo sin nariz y con el labio superior devorado por una erupción blanca— tendía las manos para recogerme. Sólo bajamos una mujer vestida de negro, un muchacho flaco con la cara cubierta de manchas plateadas, y yo. La boda seguía hasta el continente.

Lástima: hubiera sido hermoso ver deslizarse por las cuerdas a la joven áurea y todos aquellos cuerpos orondos envueltos en telas polícromas como fardos de un cargamento fabuloso.

Durante el breve trayecto, sentada en un banco de babor, estuve más cerca de la mancha que nunca. En realidad nos hallábamos dentro de ella. Se extendía a nuestro alrededor como un charco de oro liquido. Algas traslúcidas de aspecto suculento, hinchadas de aceite y abiertas como manos ondulaban saludándome, invitándome a cogerlas. Fue una tentación a la que no sucumbí, aunque de buena gana lo hubiera hecho, porque prometían al tacto un placer turbador. Vi también gran cantidad de masas de moco violeta formadas por medusas muertas; y maderas, envases de plástico, enigmáticos pedazos de sebo, espumas y toda clase de desechos. Julius me había hablado de un barco basurero que daba vueltas por la zona limpiando las aguas. Por allí no debía de haber pasado en años. La suciedad era prodigiosa en cantidad y variedad.

Al salir de la barca al solanero de La Hija, sentí la desazón de quien se encuentra en un lugar desconocido e inhóspito, y no tiene absolutamente nada que hacer en las próximas siete u ocho horas. Había llevado mis trastos de dibujo, pero no parecía haber nada que pudiera inspirar una sola raya. Habría sido más sensato meter algún libro en el bolso antes de abandonar el bungalow. Preocupada por el regreso, pregunté a uno de aquellos tipos la hora de la salida del bote hacía el transbordador de vuelta. El hombre respondió que alguien se encargaría de buscarme cuando llegara el momento. No puede decirse que fuera una respuesta muy precisa, pero me resigné y le di una propina. Tenía en la mejilla un estigma blanco en forma de estrella y sonreía con expresión algo torva. No era el único; en otros que pululaban por allí me había llamado la atención un aire huidizo y taimado, muy distinto de la franqueza risueña de la gente de la isla grande.

Deambulando al azar por las calles casi desiertas, no tardé en encontrar la diminuta plaza mayor, flanqueada por una iglesia de ladrillo y un edificio administrativo, y ocupada por las mesas de un bar. Ante una de ellas estaba sentado un hombre cuya vista me produjo una impresión tan fuerte como un golpe o una quemadura. A pesar del calor, llevaba puesto y abrochado hasta el cuello un grueso tabardo marrón, y la cabeza cubierta con una gorra de la que escapaban mechones de pelo rubio casi albino. Su rostro, de intenso color rosa, parecía desollado. Levantó hacía mí unos ojos de pez y me miró sin verme cuando pasé por su lado. Un reguero de saliva se deslizaba desde la comisura de sus labios hasta la barbilla erizada de pelos rojizos. Toda su persona daba la impresión de desmadejamiento, enfermedad y locura. Aunque era joven, estaba marchito, como sometido a una corrosión interna. Pensé, estremeciéndome, que no había piel entre la áspera lana que lo cubría y la carne viva. Trazaba círculos con un dedo invisible bajo la amplia manga en la superficie polvorienta del velador, en el que había una botella de agua mineral y un vaso. Sin duda se trataba del «hombre rubio» mencionado por Sefira Toussaint como algo singular.

Menos interesantes me resultaron los isleños, que deambulaban entre el polvo, rojo e impalpable como talco, de media docena de callejas. Algunos vivían encaramados en las cuevas del acantilado. Si algo les caracterizaba era la abundancia de enfermedades de la piel, pero no vi ninguno que sufriera del mismo mal que el hombre rubio: no parecían estar cambiando de envoltura sino solo destiñéndose. Su color canela natural era devorado por manchas de un tono claro, fresco y maravilloso como el que a veces se ve en el corazón de las rosas blancas. Se movían con lentitud y al caminar tenían un aire de resignación. El único signo de actividad era un par de tallercitos de adornos de carey, entre los que reconocí unos amuletos idénticos al que me había regalado Sefira. No era verdad, por lo tanto, que su abuela, la vieja Toussaint, lo hubiera fabricado con sus manos. Si acaso, le habría dado el poder de meter el océano en el cuerpo de quien lo tocaba. Eso sí. Yo lo sabía por experiencia.

Durante mi paseo encontré unas antiguas cisternas que mi guía señalaba como lo único notable del lugar. Eran dos gigantescas pilas de piedra negra, en el centro de un recinto delimitado por un murete de sillares pequeños. Estaban llenas de agua transparente como el aire a través de la cual podían verse las paredes hasta el fondo, a gran profundidad. Cerca de allí había unos escalones de la misma piedra, casi ocultos por la vegetación. Bajé por ellos dejándome la piel en unas matas espinosas que me arañaron los brazos y las manos. Acababan en una especie de gruta con un estanque natural de aguas aún más cristalinas que las de las piscinas superiores. En la otra orilla, junto al arranque de la bóveda de aquella arquitectura casual, vagamente parecida a la de las tumbas micénicas, vi algo confuso y amontonado, que al principio tomé por grandes piedras.

Pero no. Eran decenas de tortugas marinas gigantescas. Cuando empezaron a moverse, lentamente, me embargó la excitación de quien asiste en primera fila a la puesta en marcha de un mecanismo poderoso.

Fueron entrando en el agua y acercándose a mí, y pronto la gruta se convirtió en un hervidero de bestias que chapoteaban, se empujaban, se encaramaban unas sobre otras en una danza frenética. El espectáculo duró unos minutos. De repente, se sumergieron al unísono y desaparecieron. La superficie del agua se alisó. Ni el más leve rizo atestiguaba la anterior efervescencia de cuerpos, aletas y caparazones. Nada emergió en la orilla opuesta. Debían tener un camino secreto para volver al mar desde aquel santuario. Los espíritus tutelares que habían venido con ellas, o las habitaban, se eclipsaron, y el hueco dejado por su ausencia en el espacio de la cueva quedó ocupado por una soledad tan palpable que casi resultaba amenazadora.

A la hora de comer di por sentado que en aquel lugar no había mucho donde elegir y me dirigí al bar de la plaza. Estaba desierto. Esperé largo rato en la barra a que apareciera alguien. Aunque sabía que allí los relojes eran blandos y el tiempo elástico e inconmensurable como una nube, y a pesar de que tenía varias horas por delante hasta la partida, no pude dejar de consultar el reloj una y otra vez. Por fin vino de la calle un jorobadito con una cesta de la compra de la que sobresalía una fragante mata de yerbabuena. Tras saludarme amablemente, me tranquilizó respecto a la comida.

Subí con él por unas escaleras que conducían, según dijo, al comedor. A pesar de la fragilidad de su complexión, que hacía pensar en unos pulmones débiles, trepaba como una araña. Era un hombre de edad incierta, más vivaracho que la mayoría de los que había visto en mi paseo y limpio de manchas.

El comedor me sorprendió por sus dimensiones y su frescura deliciosa, aunque falaz: sólo obedecía al contraste con la temperatura de fuera y en seguida desaparecía. Tenía delante una terraza polvorienta, cuyos toldos anaranjados parecían arder al trasluz. Dos grandes ventiladores como hélices de barco, con aspas roídas por el óxido, permanecían inmóviles en el techo. En un rincón se amontonaba una buena cantidad de cachivaches.

La penumbra me impidió al principio apreciar los detalles de varios cuadros que colgaban de las paredes, pero poco a poco fui distinguiendo en ellos un tema único, repetido de un modo obsesivo: un paisaje marino con una figura sentada en primer plano que volvía al espectador un rostro sin expresión, y detrás unas tortugas gigantes. Una de las bestias yacía en la arena convertida en un amasijo de entrañas —pude reconocerlas por haber visto algo parecido al natural—, mientras la figura, una muchacha indígena, sostenía contra una pierna desnuda la concha, de la que goteaban y se escurrían por sus tobillos unos hilos de sangre.

Estuve allí sola tanto tiempo, abandonada a mi suerte por el jorobado, que llegué a familiarizarme con cada uno de aquellos cuadros tan poco adecuados para decorar un comedor. A pesar de su técnica mediocre y sucia, a su manera estaban vivos y no había en ellos pedantería ni ingenuidad. Su mayor defecto era que parecían postales turísticas, pero sólo a primera vista. Cuando se llevaba un tiempo observándolos, acababan revelando que algo latía bajo las toscas pinceladas que constituían su piel.

La llegada de un jovencito interrumpió mi contemplación. Entró en la sala, me miró y se puso a limpiar las tablas de las mesas, los asientos de las sillas y los ceniceros con un trapo pringoso. Cuando por fin se acercó a mi mesa, abrillantó los cubiertos, el vaso y una botella de agua turbia que había en el centro. Le pregunté sin entusiasmo qué se podía comer. Tenía una vaga idea de lo que cabía esperar de aquellos preparativos y me fastidiaba ahogar mi magnífico apetito en las aguas de los pucheros locales. La altivez del gesto con que el chico acogió mis palabras dio a entender que si la forastera había dicho algo, él no había oído más que un rumor lejano e incomprensible. Cuando repetí la pregunta —en tono menos amable— pareció haber oído perfectamente aunque se tomó su tiempo para responder, como si estuviera tratando de recordar un larguísimo y complicado menú. Por fin dijo:

—Cordero. Melón. Y dulces de canela que hacen mis hermanas, pero no sé si quedan.

Me resigné a todo ello. Tardó una eternidad en llegar hasta mí el añoso borrego, cuya carne marrón veteada de grasa tenía un sabor lanudo. Con gusto lo hubiera regado con cerveza para hacer más llevadero el trabajo de mi estómago y lavarme la lengua de su pringue, pero no había bebidas alcohólicas. Lo más que logré fue una gaseosa tibia.

En una mesa cercana a la mía se sentó al cabo de un rato la criatura sin piel que tanto me había impresionado en la placita. Le sirvieron lo mismo que a mí sin necesidad de intercambiar informaciones ociosas. No le oí pronunciar una palabra. Comía con una mezcla de desgana y avidez, inclinándose mucho hacia el plato y derramando parte del líquido cada vez que llenaba el vaso. Sus patéticos esfuerzos para guardar la compostura le hacían parecer un animal al que se obligara a comer como los hombres tras un amaestramiento que, a todas luces, había resultado un fracaso. Yo no podía apartar los ojos de sus manos deformes como las de un viejo ni sobre todo de su boca, que hacía pensar en belfos, hocicos, morros, picos, cualquier cosa menos los hermosos labios que tenía en realidad, pues en aquel rostro había un destello de belleza que, como los cuadros de las tortugas, requería una atenta contemplación para revelarse.

Después de comer di una vuelta por el puerto, pero hacía tanto calor y los olores del agua eran tan pútridos que no tardé en volver a la plaza en busca de sombra. Debía faltar un buen rato para que saliera mi barca. Me senté bajo el toldo del bar, encendí un cigarrillo y pedí café al jorobado.

—En seguida, señora. ¿Necesita alguna cosa más? —preguntó solícito.

Contesté que no con cierta brusquedad. Algo me decía que no iba a librarme de su presencia fácilmente. Al volver con mi pedido, me sorprendió con las manos en las sienes. Me dolía la cabeza y estaba mareándome, seguramente a causa del calor y de la comida, que había caído en mi estómago vacío como una piedra. Quizá contribuía a mi malestar la ansiedad que empezaba a producirme el temor de que Julius volviera a la isla y no supiera dónde encontrarme. No había dejado recado de mi excursión en el hotel ni a Sugar, al que no había visto antes de mi partida. Pregunté al hombrecillo si podía telefonear.

—No hay teléfonos aquí —respondió—. ¿Se

encuentra usted mal? Si necesita algo, dígamelo. Nadie está bien en esta época del año, sobre todo ustedes, que vienen de sitios frescos.

—Yo no vengo de un sitio fresco y no me molesta el calor —repliqué en el tono de quien da por concluida una conversación.

—A usted tal vez no —dijo sin mostrar el menor síntoma de desaliento—, pero hay quien lo pasa muy mal. Por ejemplo, el caballero que estaba comiendo arriba al mismo tiempo que usted. Es de muy al norte.

No me pareció que el jorobado tratara de encaminar su monólogo hacia el hombre rubio por mero afán de chismorrear sino por alguna razón concreta. En sus ojos se había encendido una luz suplicante y se percibía en el tono de su voz cierto nerviosismo. Lo que decía empezaba a interesarme. Probablemente me hallaba ante una buena ocasión de saber algo sobre aquella criatura enigmática, además de entretener una espera que se estaba convirtiendo en un suplicio.

Le invité a sentarse. El hombre negó con la cabeza y dijo que no tenía tiempo, pero inmediatamente se desmintió al lanzarse a informarme con todo lujo de detalles sobre la situación de Gunnar Olafson, que era como se llamaba el rubio, según dijo. Aquel hermoso nombre parecía sacado de algún cuento marinero de mi adolescencia. Dijo también que Olafson era cliente del hotel desde hacía muchos años.

—¿Qué hotel? —pregunté. No había visto ningún hotel en aquel villorrio.

—Había un hotel antes, aquí mismo, llamado La Buena Hija, cuando esto era un balneario. La gente venía a tomar las aguas, que tenían azufre y eran buenas para la piel. Se estropearon hace unos años por culpa del petróleo y algo les ocurrió también al aire y al mar. Desde entonces el pelo se cae y la piel se llena de manchas blancas. Lo habrá visto usted en la gente del pueblo. Pero no tema: no es contagioso.

» El señor Olafson vino en un barco y se quedó aquí porque le gustó este sitio. Era un joven muy guapo. Hizo muchos amigos. Venían de lejos a visitarle. Desde que está enfermo ya no es lo mismo. Ahora está solo. Bueno, no del todo: yo le cuido.

Olafson había sido muy feliz allí. El jorobado lo dijo con orgullo, como si en gran medida aquella felicidad hubiera dependido de él, pero añadió que había llegado el momento de tomar una decisión, porque estaba demasiado enfermo. Hablaba tan de prisa que apenas le entendía, como si temiera que algo pudiera interrumpir la comunicación que había conseguido establecer conmigo. En la isla grande había alguien que podía ayudarle. Sin duda yo le conocía. «No conozco a nadie en la isla», me apresuré a replicar, y era verdad: mi círculo de relaciones se limitaba a Julius, Sugar, algunos compañeros de la plataforma y Sefira Toussaint. Pero él insistió en hablarme de esa persona. No importaba que no la conociera, dijo, lo importante era que vivía en «mi» isla, en la Isla Madre. Se llamaba Vincent van Velde, más conocido como el Rojo por el color de su pelo.

Aquel nuevo nombre pertenecía al mismo mundo fabuloso que el de Olafson: patas de palo, crujidos de madera, cofres del muerto y barcos navegando por mares azules. Pero tampoco Van Velde era un marino: resultó ser el pintor de los cuadros de las tortugas. Según mi informador, había vivido una larga temporada en el islote, donde se ganaba la vida vendiendo sus obras a los pacientes del balneario. Me pidió que hablara con él de su parte y le comunicara que Olafson estaba enfermo. Cuando le repetí que no le conocía, pareció ignorar mi negativa a colaborar en sus planes. Podía encontrarle con toda facilidad en un bar de la isla Madre llamado Las Lunas. Y añadió: «tiene usted que haber estado en él alguna vez. Los turistas van mucho por allí.»

Tratando de ganar tiempo antes de verme envuelta en un compromiso que no estaba dispuesta a asumir, y también por satisfacer mi propia curiosidad, pregunté qué le ocurría en realidad a Olafson. El hombre respondió como el pariente que cuida a un enfermo y sabe más de síntomas —sobre todo sórdidos— que de causas. Estaba mudando de piel como las serpientes. Sufría dolores terribles en los huesos y los músculos, por lo que tomaba tantas pastillas que, cuando le despertaba por las mañanas, temía encontrarlo muerto. A veces tenía que sacarle medio ahogado de la bañera llena de agua con sal. Dijo esto último sin énfasis, pero era un detalle intrigante. ¿Para qué servía la sal? Aliviaba sus molestias, dijo, e inmediatamente señaló que le resultaba muy penoso manejar el cuerpo desnudo, mojado y deforme de Olafson, y que no se podía quitar de la cabeza lo bello, lo dulce, lo fuerte que había sido antes, en una época que en sus labios sonaba como una remota edad de oro.

En suma, Olafson estaba cambiando. Al oír aquello me sobresalté. Cambiando... Recordé las manchas en la espalda de Julius, sus ojos vidriosos, el tono ceniciento que a veces oscurecía su rostro tostado por el sol y el yodo. ¿Eran lo mismo, en el caso de Olafson, el cambio y la enfermedad? ¿La enfermedad le producía los cambios o acaso el cambio le transformaba? Formulé mis dudas en voz alta de un modo un tanto atropellado, y aunque mi informador dijo que lo ignoraba, tuve la impresión de que lo sabía perfectamente, aunque procuraba dar a sus respuestas un tono de inocencia que ponía aún más de manifiesto que mentía.

Todas las vías abiertas por los temas de su relato —la sal, el agua, la metamorfosis— parecían conducir a un punto que eludía con gran habilidad. Se deslizaba por los intersticios de mis preguntas para dirigirse a donde le interesaba sin dejarse desviar por lo que me importaba a mí. Insistió en la necesidad de que el tal Van Velde estuviera enterado de lo que sucedía y en el hecho de que yo podía ayudarle. Pero, pregunté, ¿por qué no le hacía una visita él mismo? Al fin y al cabo, no estaba al otro extremo del mundo sino a unos minutos de allí. El jorobado meneó la cabeza. «Esto está más lejos de lo que parece. Aquí es más fácil entrar que salir. Además, a usted la creerá y a mí no.»

De pronto se puso tenso y sin darme tiempo a reaccionar, tomó una de mis manos, depositó en ella algo duro y la cerró con la suya de dedos de hierro, suaves y ardientes, cuya impresión permaneció en mi piel largo rato. «Entregue esto a Van Velde de mi parte», susurró inclinándose hacia mi oreja como si fuera a besarme en la mejilla. Luego se alejó rápidamente, tropezando con las sillas vacías. Me quedé mirándole con el puño cerrado hasta que desapareció en el interior del bar. Entonces abrí la mano y miré.

Era una sortija de oro con una tortuga parecida a los escarabeos egipcios. La dejé caer en el interior del bolso sin mayor ceremonia: algo que me interesaba más requería mi atención en aquel momento. El barquero de la estrella en el rostro se acercaba desde el fondo de la plaza para avisarme de la salida del bote como me había prometido. Acuciada por el deseo de marcharme de allí cuanto antes, me levanté y entré en el bar a pagar la consumición. El jorobado había desaparecido. Me atendió el muchachito del comedor. Mientras esperaba el cambio acodada en la barra, vi de nuevo a Gunnar Olafson. Le observé sin ocultar mi curiosidad. Lo inminente de mi partida me volvía atrevida. Él se dio cuenta y me envolvió en una mirada vidriosa. Se hubiera dicho que era la de un completo idiota de no ser porque brilló en su fondo un destello de reconocimiento. Tuve la impresión de que iba a convertirse en saludo, pero se apagó en seguida como una pavesa.

Todo en él era tan peregrino que la vista no podía apoderarse de su imagen completa. Sin embargo, aunque me resultaría difícil describir su aspecto externo, por un momento me pareció estar buceando en su interior. Un mar de agua amarga más espesa que el aceite, con simas tenebrosas y florescencias de colores que brillaban áureos, opalinos o azufrados, algunas vibraciones propagándose en espiral y de vez en cuando burbujas de sangre como en un festín de tiburones: así se me mostró el alma de Gunnar Olafson. Fue una visión fugaz. No me permitió entender nada de lo que estaba ocurriéndole. Sólo percibí claramente que ya no era un hombre, aunque algo humano todavía quedaba en él, como una bandera hecha jirones ondeando en lo alto de una torre conquistada. Y a pesar de todo, allí estaba, natural, material, al alcance de mi mano. Si hubiera alargado el brazo, le habría tocado.

En seguida me dio la espalda y se dirigió con la lentitud de un anciano hacia la escalera que conducía al piso de arriba. Arrastraba los pies al andar y sus hombros se encorvaban como si soportaran un peso invisible. Yo estaba confusa. Algo muy importante se me escapaba para siempre; nunca más en toda mi vida lo tendría delante como acababa de tenerlo, tan cerca que había llegado hasta mí el hedor de su piel, cuarteada para dar paso a las escamas.

Cuando salí, la luz de la plaza me hizo daño. Era una claridad amarilla sin sustancia, que aplanaba los objetos hasta convertirlos en siluetas que cualquier racha de viento podía levantar y disipar como una nube de polvo. El barquero aguardaba paciente con los brazos cruzados, apoyado en un pilar. La hermosura de su cuerpo dotaba de una nueva armonía a la fachada de la iglesia. Hasta ese momento apenas me había fijado en él. Era más joven de lo que recordaba, casi un muchacho. Vestía una camisa de polo verde claro y pantalones vaqueros tan nuevos que parecían de cartón. Sus ojos algo estrábicos, de aspecto peludo por la abundancia de pestañas y la hirsutez de las cejas, daban la impresión de que el hecho de mirar tenía que dolerle. ¿Hasta dónde se extendería, con el tiempo, la mancha blanca de su mejilla? Por todo el rostro quizá, como una máscara de plata.

6

La certidumbre de hallarme ante un ser inhumano había sido absoluta y brutal mientras tuve a mi lado al hombre rubio y penetré en su alma líquida a través de sus ojos sin brillo; luego, la impresión que me había producido se fue diluyendo, sustituida por el deseo de saber el origen de la metamorfosis. Finalmente, decidí buscar a la única persona que podía darme alguna información al respecto, el pintor de las tortugas. Tenía una buena excusa para acercarme a él: transmitirle el mensaje que me había confiado el jorobado del islote junto con la sortija.

Cuando pregunté a Sugar por el bar llamado Las Lunas, la mirada interrogante de sus ojos fue tan intensa que me obligó a explicarle que debía entregar algo a alguien.

—No hace falta que vaya usted. Esta tarde tengo que pasar por delante. Puedo entregarlo yo mismo —dijo con aparatosa indiferencia. Me trataba como a un niño cuya atención se pretende distraer de un capricho sucio o peligroso.

No insistí. Me limité a buscar Las Lunas por mi cuenta. A esas alturas, la ciudad vieja ya no tenía muchos secretos para mí, ni me perdía en sus laberintos con tanta frecuencia como a mi llegada. No fue difícil encontrarlo. Estaba en la zona abovedada del gran mercado, junto al bacalito de una perfumista que vendía aceites esenciales y cajitas de sombra para los ojos. Una vez le había comprado una ampolla dorada, llena de extracto de nardo, que Titina me arrebató y arrojó contra los azulejos del cuarto de baño como una granada de mano. El aroma perduraba, cada vez más degradado pero fuerte como el diablo.

Había que bajar unos escalones, y de pronto te encontrabas en una especie de caverna cuyas paredes de adobe desaparecían bajo una colección de espejos de las más variadas formas y tamaños, con marcos dorados de madera tallada o de escayola. Ciertas lunas eran nítidas, trampas casi invisibles para el ojo, pero la mayoría estaban empañadas o con el azogue cuarteado a causa de la humedad, y copiaban el mundo turbiamente. Entre algunas se establecían juegos ópticos, cuyos resultados aberrantes sembraban la perplejidad en el contemplador.

Tomé asiento ante una mesa baja en un rincón. No tuve que esperar mucho. Van Velde en persona me preguntó qué iba a tomar. Le reconocí en seguida gracias a la descripción que me había hecho de él el jorobado de La Hija. Era un hombre de unos cincuenta años, alto y flaco, de frente amplia, mirada vivaz y cabellera pelirroja recogida en una coleta. Vestía pantalones vaqueros, una camisa malva y sandalias, y llevaba en las muñecas pulseras de cuero trenzado. Me sonaba: una fisonomía como aquella no se despinta fácilmente, pero no le conocía. Debía haberme cruzado con él en el bazar o en el paseo marítimo. Algo en él hacía pensar que era homosexual, aunque no parecía afeminado. Cuando me trajo lo que había pedido, le dije que había visto unos cuadros suyos en el islote. Acogió mis palabras con una sonrisa alentadora. No me hice de rogar y seguí hablando. Aventuré una opinión muy favorable sobre su calidad y la avalé con el dato de que también yo era pintora, pero no debió ser el halago lo que le movió a sentarse a mi lado, sino la curiosidad o el aburrimiento. El local estaba vacío.

Con él delante, las preguntas que había preparado

por el camino se me antojaron tan banales como las que solían hacerme los periodistas a mí misma cuando necesitaban llenar espacio en los suplementos dominicales. Respondió de un modo vago a las que llegué a formularle, como si no se acordara apenas de aquellos cuadros o no les concediera la menor importancia. Fue inútil tratar de hacerle hablar del motivo que le había impulsado a pintar las tortugas. Ni siquiera dijo si había presenciado su descortezamiento alguna vez, aunque yo estaba segura de que sí. Sólo un testigo presencial podía transmitir la vibración de repugnancia y exaltación que había en esos lienzos.

Al cabo de un rato, dio muestras de impaciencia. Mi conversación debía aburrirle. Para disimular su fastidio, pidió una botella a uno de los hermosos muchachos de ojos negros que haraganeaban medio adormilados por los rincones. Entonces cambié de tema. Cuando mencioné —y lo hice espiando su rostro, al acecho de una expresión reveladora— a Gunnar Olafson, su boca se contrajo en un gesto de sorpresa, tal vez de temor, aunque en seguida recobró el dominio de sí.

—¿Le conoce usted? —preguntó, tratando de aparentar indiferencia.

—Le vi en La Hija hace unos días, pero no he

hablado con él. Un amigo suyo insistió mucho en que le dijera a usted que está enfermo.

—¿Así que me trae usted un encargo? ¿De un amigo? ¿Quién, el jorobado del bar de la plaza?

—Sí. Parecía muy apurado. Dijo que él ya no puede ayudar más a Olafson y que tal vez usted...

—Yo, ni soñarlo —me interrumpió el Rojo con brusco amaneramiento—. Se las pueden arreglar muy bien sin mí. Y usted, si no tiene un interés personal en esto, más vale que no se deje enredar. Aquí a todos les sobra imaginación y se embarcan en fantasías de lo más ridículo, y lo peor es que pretenden que los demás les sigamos la corriente. El ambiente lo da de sí, ya lo sabemos, pero si Gunnar Olafson está enfermo, lo mejor es que se haga visitar por un médico. Dinero no le faltará, después de haber desplumado a todos los clientes del balneario año tras año.

—Yo, en realidad, no sé nada ni tengo nada que ver —repliqué un poco violenta. Por un momento creí haberle molestado—. Simplemente, su aspecto me impresionó. Me pareció que está... que tiene una enfermedad en la piel —concluí, diplomática.

—Ya lo creo que la tiene. Estará mudando como las serpientes —comentó en tono venenoso.

—Eso mismo dijo el jorobado —corroboré—, que estaba cambiando de piel.

—Aquí dicen que una mujer le hizo un trabajito por encargo de alguien, a causa de un agravio amoroso. ¿Conoce usted a Madame Toussaint? No, claro, pero habrá oído hablar de ella. Es una vieja bruja que debe tener cien años, si vive. No sé de nadie que la haya visto, pero todos en la isla le dirán que manda en el mar y en las tortugas, y que es capaz de convertir a los hombres en bestias como Circe. Si es tan hábil no debió ser ella la que embrujó a Gunnar Olafson. Madame Toussaint, en sus buenos tiempos, era capaz, según cuentan, de convertir en tortuga laúd a un tipo con solo chasquear los dedos, mientras que el hechizo que sufre Gunnar es tan lento y chapucero que parece, como bien ha dicho usted, una enfermedad de la piel. Un médico blanco hablaría de artrosis precoz y de no sé qué dermatitis producida por algún hongo. Pero, en el fondo, lo que le ocurre a Gunnar es mucho más sencillo que la magia y la enfermedad.

Sin embargo, no debía ser tan sencillo, porque el Rojo estuvo hablando largamente sin conseguir que sus palabras arrojaran mucha luz sobre el caso. De ellas deduje que había sido amigo íntimo de Olafson hasta que le hartó su vileza. Intuí que relacionaba esta con su hermosura. Por mi parte, me resultaba difícil imaginar como una persona dotada de una belleza fatal al guiñapo cuya mirada se había cruzado un par de veces con la mía en el islote. Pero al recordar la línea maravillosa de su boca, cuyo esplendor triunfaba a veces sobre la deformidad, entreví lo que podía haber sido un Olafson sano y juvenil, y casi llegó a parecerme verosímil el cuadro que trazaba Van Velde de los tejemanejes del jorobado vendiéndoselo a hombres y mujeres del ingenio petrolífero y de tierra firme como juguete de amor en el antiguo balneario, al que muchos de ellos acudían sólo por aquel aliciente.

Cuando el tema se agotó hasta no ser más que un hilillo de frases sin interés, amenazado por el avance del silencio, intenté volver al objeto que había inaugurado la conversación: la pintura. No quería irme de allí sin alguna indicación sobre mi propio camino. Al preguntar a Van Velde por qué no había seguido pintando, respondió:

—Porque yo no soy pintor. No se deje engañar por las apariencias: lo que ha visto en el islote no es más que la prueba de un fracaso. Nunca he tenido talento. En el fondo, siempre he sabido que no lo tenía, pero debía triunfar, me lo dijeron desde niño, quizá para distraerme del hecho de que yo era, y me daba cuenta de ello, diferente. Yo era diferente porque era un artista: he aquí la línea argumental de mi vida, según mi familia. Me tragué aquel anzuelo, me creí obligado a no defraudarles y, por consiguiente, lo pasé muy mal, hasta que vine aquí y tuve la revelación de mi vida: la pintura y todo lo que se relacionaba con ella me traía sin cuidado. Lo mío era otra cosa. Me gustan los bellos cuerpos, jóvenes y vivos, y aquí los hay en abundancia. Alguna vez he tenido tropiezos, dolores como el que me ocasionó una traición de Gunnar..., pero he sido y soy razonablemente feliz, es decir, libre.

» Los cuadros del islote no valen nada; los pinté para subsistir una temporada a cambio de alojamiento y comida, cuando los encantos de Gunnar empezaron a marchitarse y con ellos las atenciones y los regalos de los amigos. En fin, si usted es en realidad una artista como dice, tiene la obligación de valorar con tino. Aprenda a distinguir lo falso de lo auténtico. En este lugar dejado de la mano de Dios no importa que mis cuadros sean buenos o malos, pero usted no tardará en marcharse y tendrá que seguir adelante, y en su mundo perdonan las mentiras pero no los errores. En su mundo mis cuadros son basura.

Hubiera querido enseñarle mis obras, pedirle que las juzgara con aquellos ojos lúcidos y me dijera si las consideraba auténticas o falsas, si debía o no continuar pintando. A él le habría hecho caso. Pero, ¿qué le iba a enseñar, a fin de cuentas? A lo largo de mi estancia en la isla no había conseguido terminar un solo cuadro que mereciera tal nombre, y los bocetos que llenaban mis cuadernos eran infames. No tenía sentido continuar fatigándole para nada y decidí marcharme.

Estuve a punto de olvidar que debía entregarle algo, pero lo recordé a tiempo, al guardar el tabaco y el mechero. Durante unos segundos busqué a ciegas en el bolso, revolviendo en sus entrañas hasta encontrarlo.

—El jorobado me dio esto para usted —dije alargándole la sortija.

Van Velde se quedó un momento mirando con aprensión mi mano como si le estuviera tendiendo un animal dispuesto a saltarle a los ojos. Finalmente, cogió la joya y oprimió con la uña del pulgar un resorte diminuto, en el que yo no había reparado. El cabujón de concha translúcida en forma de tortuguita se abrió con un chasquido. Estaba hueco.

—Así está su cabeza, vacía. Así está y ha estado siempre la cabeza de Gunnar Olafson —comentó con voz aflautada, poco acorde con su anterior actitud de suficiencia.

Repitió la frase una y otra vez como una cantinela de borracho, mientras yo contemplaba furtivamente su busto en uno de los espejos. En las aguas corrompidas de su luna, la cabellera roja se agrisaba. Parecía haber envejecido a lo largo de aquella tarde. La sortija, cerrada, brillaba en su dedo anular.

—Fue mi regalo de despedida —explicó, mirándome con los ojos entrecerrados —, algo muy inocente, pero alguien le hizo creer que estaba encerrado en ella, por obra de la Toussaint, el mal que le devora. Hacérmelo llegar sirviéndose de usted ha sido una impertinencia del jorobado y del propio Gunnar. ¡Vaya personajes!

—No creo que Olafson esté para impertinencias —dije— y en cuanto al jorobado, no me dio la sensación de que actuara de mala fe. De todas formas, de haber sabido que iba usted a disgustarse, me hubiera negado a hacer de mensajera.

Cuando me levanté, me retuvo por la muñeca para que volviera a sentarme y me pidió que abandonara la isla cuanto antes.

—Aún está usted en condiciones de tomar un avión. Yo ya no puedo creer que un pájaro de metal se sostenga en el aire, pero sí que Gunnar Olafson se esté convirtiendo en un animal. Quizá va camino de ser lo que es en realidad, lo que siempre ha sido, un reptil. Aquí en las islas ni hay símbolos ni alegorías como en Europa, aquí llega un momento en que las cosas cambian, no de nombre sino de piel y de huesos. Es muy probable que Gunnar se esté transformando en una bestia que anhela volver al útero de la madre oceánica sin que haya hecho falta el sortilegio de ninguna zorra. Pero, al fin y al cabo, se les puede perdonar al jorobado y a él que me culpen de su mal, porque el caso es que los sortilegios de las zorras surten efecto, y a veces, en el silencio de la noche, se oye rugir a madame Toussaint, que sueña una pesadilla especialmente angustiosa y se revuelve en su catre batallando con los demonios del mar, a los que da caza para encerrarlos en los talismanes. Pero esto no va con usted. Usted márchese y no vuelva la vista atrás. Hágame caso.

Salí de Las Lunas un poco mareada, como si me hubiera adormilado durante un trayecto en metro por los intestinos de una gran ciudad. Los juegos de los espejos, la voz monótona de Van Velde y la ginebra habían contribuido a ello, pero la causa principal de mi vértigo era haber comprobado que también él creía que un hombre podía convertirse en animal. Lo más importante para él, al parecer, no era el proceso, el suplicio interior y exterior de la metamorfosis, que a mí me espantaba, sino la felicidad del cambio consumado y el regreso al seno amoroso del mar. Parecía haber olvidado sus propios cuadros de las muchachas bárbaras descansando después del sacrificio. Porque después de la transformación, venían la captura y la matanza. No iba a ser fácil seguir su consejo de alejarme de aquello. Empezaba a parecerme natural; allí lo era. Como la increíble temperatura, los colores del mar y la insipidez infernal de los alimentos.

7

Sefira surgió de la penumbra de un zaguán y, tomándome de la mano sin que mediara una palabra entre nosotras, me condujo hacia el interior de la casa. El portal me trajo un recuerdo impreciso al principio, que fue cuajando poco a poco: semanas atrás había visto moverse entre sus sombras algo monstruoso que me llamaba. No había aceptado entonces aquella invitación, pero ahora me hallaba allí de nuevo, consintiendo, tragada ya por la gran boca húmeda de aquella casa que me hacía pensar en un cuerpo de mujer.

A lo largo de nuestro recorrido por patios, corredores, escalerillas y terrazas, sólo vi unas cuantas niñas de piel oscura y sedosa, sentadas en silencio —y al parecer ajenas entre sí— en el suelo de una estancia vacía. Las paredes azules, florecidas de salitre, estaban adornadas con caparazones gigantescos. La escena me recordó la sala de espera de un médico y también ciertos cuadros románticos de termas o harenes, o ambas cosas a la vez, como en los sueños.

—¿Son hermanas tuyas? —pregunté a Sefira al azar, por romper el silencio.

—No —contestó la muchacha—. Son pescadoras de tortugas que vienen en busca de la paga.

—¿Pescadoras? —me extrañé—. ¿Tan pequeñas?

—No son pequeñas, por lo menos tienen diez años. Son las únicas que pueden hacerlo. Cuando se vuelven mujeres, ya no sirven. Las tortugas sólo se dejan atrapar por niñas.

—Pues yo he visto chicos que las cazaban y les quitaban la concha en la playa. Y tú estabas presente.

—Tú no entiendes de esto. Los chicos cazan tortugas, pero no es lo mismo. Las tortugas sagradas solo pueden cazarlas niñas —replicó, impaciente, Sefira.

En realidad no dijo «sagradas» para calificar a aquellas tortugas especiales, sino algo parecido a «apartadas». No insistí. Me daba cuenta de que mi guía no estaba dispuesta a informarme sobre aquel asunto, quizá sujeto a alguna prohibición de carácter religioso.

—¿Adónde me llevas? —pregunté.

—Te llevo a donde tú quieres ir. A ver a mi abuela —respondió, aumentando la presión de la mano con que aferraba mi muñeca.

Yo había oído hablar de la vieja Toussaint en diferentes ocasiones y a personas distintas, entre ellas a la propia Sefira, a Albert Sukari e incluso a Vincent van Velde, pero ignoraba si la hechicera estaba viva o muerta, porque las cosas que se contaban de ella en la isla no sólo eran descabelladas sino fuera del tiempo. Se superponían, se amontonaban, fluctuaban. Al oírlas, uno no sabía si habían sucedido en un pasado ya remoto o si continuaban sucediendo.

Sentía una gran curiosidad hacia aquel personaje, que adivinaba pintoresco y lleno de interés, pero en ese momento tuve miedo. La inminencia del encuentro me produjo un malestar parecido al que experimenté la primera vez que el profesor de anatomía artística nos llevó a la sala de disección de la Facultad de Medicina para que dibujáramos restos humanos. Yo sabía que no iba a ocurrirme nada malo, pero también que después de ver con mis propios ojos los cadáveres descuartizados algo cambiaría en mí. No me equivoqué. El espectáculo de una mujer que yacía sobre una mesa de mármol con la bóveda craneana rebanada y el cuerpo medio cubierto con una tela áspera que me pareció un enorme paño de cocina, me obligó a apoyarme en la pared en un rincón. Permanecí allí largo rato, ocultándome de mis compañeros, recogida, temblando, fascinada por el gran agujero donde estuvo alojado el cerebro ausente. Algo se perdía siempre en aquellas investigaciones. Algo, también, se ganaba, mucho más importante y valioso, y en definitiva todo te iba preparando para mirar a tu vecino de la barra de un bar y observar sin escándalo ni síncope que la boca suculenta, hecha para el beso y la succión, se estaba convirtiendo en pico de reptil, y que la fina piel rosada y rubia se llenaba de escamas, y que...

—Tú siempre te quejas de que no contesto a tus preguntas —dijo Sefira, tal vez para atajar los escrúpulos que adivinaba en mi actitud renuente a embarcarme en aquella aventura de conocer a su abuela—. Ahora podrás preguntarle lo que quieras a ella, que es la única que lo sabe todo sobre las tortugas. Además, puede ver lo que hay en tu corazón. Te ayudará —y mientras pronunciaba estas palabras me puso la mano en el pecho, mirándome a los ojos.

—¡Cómo te late! No tengas miedo. Aquí estás entre amigas.

—No, si no tengo miedo —repliqué—. Es que a lo mejor la molestamos. Además yo no sé su idioma.

No la voy a entender —. Vaya excusa. Según la formulaba, sentía que el rostro me ardía de vergüenza.

—Tú no sabes su idioma, pero ella sabe el tuyo —rió la joven—. ¿Qué te has creído? No es ninguna ignorante.

Madame Toussaint dormitaba en un sillón de mimbre junto a una mesa camilla, en una habitación pequeña y sin ventanas, de paredes desnudas pintadas de verde. En cuanto asomamos por la puerta, se despabiló y me indicó una silla frente a ella. Sefira quiso ocupar otro de los asientos, pero fue despedida. Acató la orden de muy mala gana. Sin duda la humillaba ser tratada por su abuela como una niña después de haberse pavoneado ante mí como su sucesora y depositaria de los secretos de su arte.

Me senté. En la pared de enfrente un calendario mostraba una fotografía aérea de la isla, el islote y la plataforma. No había ni rastro de la mancha en las aguas azules, que se volvían de jade junto a las playas. Una mirada superficial hubiera tomado a la vieja por un ser insignificante, pero en realidad se trataba de un animal prehistórico. Su cuello, de piel dura y rugosa, entraba y salía por el escote de su vestido de gruesa tela verde con rayas marrones. Apenas tenía rostro, salvo unos ojos diminutos, llorosos y vivarachos, y una gran boca sin labios. Sus manos eran cortas, con manchas pardas en el dorso alternando con otras rosadas como la espalda de Julius. Los dedos, muy gruesos y afilados, estaban rematados por uñas amarillentas, que no parecían brotar de dentro sino haber sido injertadas desde fuera. Llevaba enroscado en cada dedo un hilo de seda verde cuyos cabos se reunían en la palma, recogidos por una cuenta transparente que parecía una gota de miel. De los marchitos lóbulos de sus orejas colgaban unos pendientes del mismo material del amuleto que me había regalado Sefira, la sortija de Gunnar Olafson y las joyas que se fabricaban en el islote. Su frente inmensa surgía de un pañuelo verde a modo de turbante enrollado alrededor de la cabeza, pequeña y probablemente calva. De su mole se desprendía un olor muy fuerte. Me recordó el de los montones de algas que la marea depositaba en la playa.

—Bueno, ¿qué quieres de mí, hija? Eres una mujer, ¿verdad? Apenas veo, y como llevas el pelo tan corto... —dijo maliciosa, haciendo rebullir la masa de su cuerpo para cambiar de postura o tal vez para soltar una ventosidad.

Su respiración parecía el borboteo de un puchero puesto a hervir; debía tener los pulmones encharcados. Me observaba con un aire entre astuto y lelo, que al principio me desorientó. Luego su mirada se fue desentendiendo de mí y vagó por la estancia como siguiendo algo que yo no podía ver. Detrás de aquellos ojos glaucos, casi amarillos, parecía agazaparse una entidad que a duras penas cabía en el cuerpo rechoncho. Podía hacerlo reventar de un momento a otro, y entonces se desparramaría por la estancia como una ola de gelatina.

—¿Qué puedo hacer por ti? —repitió, volviendo a clavar sus ojos en los míos, ahora con una cordialidad natural.

—En realidad, nada —murmuré muy confusa.

—Nada, ¿cómo que nada? Todo el que viene aquí quiere algo.

Me encogí de hombros. Tenía la mente en blanco. En vista de que no me decidía a formularle ninguna consulta, la vieja habló de sus propios achaques. Le dolían las piernas —«a veces creo que se me están pudriendo en vida»,comentó—, y se quejó de fatiga y de que las cosas ya no eran como antes, «cuando el mar y las bestias me obedecían».

—Todo se corrompe —dijo tras una pausa para encender un pequeño cigarro negro—. Hasta las tortugas están enfermas. ¿Has visto el color de sus entrañas? Tienen las tripas azules. Apestan. El mar ha muerto y se descompone, y todas sus criaturas con él. Pronto le llegará el turno a la gente. Algunos ya están tocados. Los cuerpos presienten que la muerte negra volverá a brotar.

—Hay gente que lo está estudiando en la plataforma. Dicen que las algas fermentan y de ahí se forma la mancha —aventuré sin caer en la trampa que me estaba tendiendo para que hablara del petróleo. Era inútil tratar de sonsacarme. Yo no sabía nada—. No hay que preocuparse demasiado: no es el fin del mundo —añadí.

—Siempre ha habido algas y el agua estaba como el cristal. Hasta que llegaron de nuevo los extranjeros. Yo no echo la culpa a nadie, pero fue llegar ellos y empezar a cortarse todo como leche agria. La mancha apareció cuando encendieron otra vez las luces de la plataforma. Con lo bien que estaba muerta, callada —permaneció en silencio unos momentos pero, como yo no decía nada, siguió—. Ese compatriota tuyo tan gordo que trabaja en ella es tu padre, ¿no?

—Mi marido. Julio Segura —apunté sobresaltada. Sentí malestar al oír hablar de Julius a aquella bruja. No quería que me revelara nada sobre él.

—¿Marido? Bien, marido, si tú lo dices... Ése sabe, pero lo que sabe no le sirve para nada, pobre hombre, porque al fin y al cabo es de los que han venido sin que nadie les llamara, han traído esa podredumbre y ahora dicen que la estudian para librarnos de ella. Es mentira. Volverán a sacar la pestilencia del fondo del océano, no quieren que lo sepamos, pero es la verdad. Poco a poco irán comprendiendo que esto no es bueno para nadie, cuando no haya remedio. Y a ti, ¿qué te importa la mancha? No tiene nada que ver contigo, corazón mío. No es cosa tuya. Vuélvete a tu casa y olvida la isla. Vosotros sois como animales; no soportáis el cambio de lugar. Todos acabáis enfermando, y luego, cuando los males de aquí se juntan con los de allá como le ha ocurrido a más de uno, el único remedio es la cuchilla del carnicero. Pero tú no temas, bonita mía. A ti te veo muy bien. No te pasa nada que no tenga cura, es cuestión de tiempo. Crecerás y perderás el miedo.

Su cariñosa manera de tratarme me hacía volver a la infancia. No era una sensación agradable sino siniestra: me obligaba a revivir los aspectos terroríficos de mi madre vista de abajo arriba cuando yo era una muñequita de mazapán, como ella decía fingiendo comérseme a besos. Madame Toussaint tuvo un ataque de tos y su cara se puso purpúrea. Aplastó la colilla en un cenicero.

—Está usted fatigada —dije, muy contenta de tener una excusa para marcharme—. No la molesto más.

Al despedirnos, murmuró entre carraspeos:

—Sé que me harás caso y volverás a tu país, pero si antes necesitas ayuda, puedes venir cuando quieras, cariño mío —y acto seguido me indicó su tarifa. Por cierto, no era ninguna ganga. Varios billetes y un paquete de cigarrillos quedaron en la mesa bajo su garra cuando me fui sin haber formulado una sola pregunta. Cuando empezaron a ocurrírseme algunas, ya era tarde.

En la plaza de los Jazmines tropecé con Sugar, que salía del estanco abriendo una cajita de pastillas de goma. Se ofreció a llevarme de vuelta al hotel; en realidad parecía haber estado esperándome. Sabía que había estado con la Toussaint y expresó su desaprobación sin rodeos.

—Eso no es para usted, señora. En otros tiempos las mujeres de esa familia fueron algo, pero las cosas han cambiado. La vieja tortuga y toda su pandilla no hacen más que enredar y sacarles los cuartos a los incautos. Debería usted hacer caso a su marido. No le gusta que ande por ahí, y con razón. No sé cómo se las arregla usted, que en todo lo que le interesa hay peligro. Sin embargo, en la isla tenemos otras cosas. Déjeme que le aconseje una. Es antigua y de las que va buscando usted, pero no le hará ningún daño. Se llama las Buenas Aguas. La llevaré cuando quiera. Está cerca de aquí.

—¿Las Buenas Aguas? —pregunté, extrañada de no haber oído nunca ese nombre ni haberlo leído en mi guía.

—No es un sitio muy conocido ni frecuentado por extranjeros —explicó Sukari—. A usted sola no la dejarían pasar, pero yendo conmigo no tendrá problemas. Conozco al guardián.

Como si no bastara por aquel día con haber penetrado en el santuario de la señora Toussaint, la perspectiva de una nueva ración de exotismo despertó inmediatamente mi interés.

—Podríamos ir ahora, si no tiene usted nada que hacer —dije al conductor —. Es pronto para volver al hotel.

Sugar estuvo de acuerdo. Me llevó a una placita que olía a estiércol. En uno de sus lados se alzaba un edificio de adobe alto y estrecho como un minarete, coronado por una cúpula en cuyos azulejos espejeaba una luz cegadora. La puerta de madera y latón parecía cerrada, pero cedió a la presión de la mano de mi acompañante. Daba a un patio. Varios gatos nos dirigieron perezosas miradas de oro desde la sombra de una higuera. Subimos por una escalera empinada hasta otra puerta. En su jamba estaba apoyado un anciano con los brazos cruzados. Vestía una vieja gabardina sobre la camisa y los pantalones, y llevaba la cabeza cubierta con un gorro blanco. Tenía un aspecto de singular dignidad y limpieza. Sus ojos, anegados en moco, parecían hallarse en un proceso de dolorosa regeneración. Saludó a Sugar, que se quedó charlando con él mientras yo atisbaba el interior desde el umbral.

La estancia era cuadrada, coronada por una bóveda que correspondía a la cúpula azul. Dentro de aquel reducido espacio blanco, articulado con arcos de ladrillo ocre y pavimentado con losetas rojas, un animal enorme, atado a una noria, daba vueltas alrededor de un pozo, del que sacaba agua por medio de un único cangilón en forma de cántaro. Llevaba los ojos tapados con dos cestillos de esparto, y un pañuelo de nailon verde y rosa anudado al cuello. El contraste entre la estructura cristalina de la arquitectura y la enorme presencia peluda y cálida de la bestia, que caminaba en circulo materializando el movimiento armonioso de las líneas de los arcos, me deslumbró. Nunca hasta entonces había intuido con tal intensidad la diferencia entre el rigor inmaterial de la geometría y la densidad febril de lo orgánico, ni había presenciado el espectáculo de su compenetración en un mecanismo como aquél, que parecía ser al mismo tiempo un símbolo y una plegaria.

Cuando me recobré de la primera impresión, miré

a mi alrededor buscando a Sugar. Había desaparecido. El anciano guardián me animó a acercarme a
beber el agua de la noria. Rehusé, sonriéndole con
cierta turbación. Temía no caber entre el animal y las
paredes. El cuerpo gigantesco iba a arrollarme a su
paso, inexorable como la marcha de las agujas de un
reloj. Pero el hombre insistió, casi colérico ante mi
cobardía, de modo que me aventuré en el interior de
la estancia, sorteando como pude el hocico, el largo
cuello, los flancos que me rozaron al pasar.

En el alféizar de la ventana estaban sentadas dos
mujeres. La más vieja me tendió sonriendo la taza en
la que acababa de beber. Sus encías desdentadas
parecían destilar ríos de saliva. No sin aprensión,
bebí el agua del pozo, densa y áspera, helada, que
sabía a hierro como la sangre. Algo bueno debió
penetrar con el líquido en mi interior, porque de
pronto me sentí fortalecida. Al salir deposité unas
monedas en un recipiente de estaño como vi que
hacían las peregrinas, para el forraje del animal
sagrado.

Sugar no me habló de él durante el camino de
vuelta al hotel, sino algunos días más tarde, mientras
limpiaba el coche por la mañana temprano, que era
el momento en que habitualmente se mostraba más
comunicativo. Dijo que la noria con la bestia que

sacaba de las entrañas de la tierra el agua ferruginosa, era una máquina opuesta al avance de la mancha de podredumbre que surgía del mar. «Si el animal deja de dar vueltas o cambia de ritmo —explicó accionando el interruptor del limpiaparabrisas para limpiar el cristal—, la mancha se extiende; si muriera y no lo reemplazaran por otro idéntico, la podredumbre invadiría la isla.» Luego siguió frotando con la bayeta gris el parabrisas hasta que hizo desaparecer el cristal a fuerza de transparencia, mientras silbaba la melodía de una película que habían dado por televisión la noche anterior. Cuando me disponía a alejarme, levantó el rostro hacia mí y, mirándome a los ojos —cosa que no solía hacer—, puntualizó: «Eso es lo que dice la gente, pero no hay que tomarlo al pie de la letra. La torre del dromedario ha existido siempre, mientras que la mancha es cosa de hace poco tiempo.»

—Según Madame Toussaint, hemos sido los extranjeros quienes la hemos traído —comenté.

—Exagera. Lo que sí es cierto, y todo el mundo lo sabe, es que ha crecido desde que comenzaron los trabajos de la plataforma. Pero a la gente no le importa la mancha. Sólo temen que el pozo se abra de nuevo. Si algún día volvieran a ver el penacho de fuego en lo alto de la chimenea grande, podría ocurrir cualquier cosa.

Probablemente, ni los extranjeros habíamos llevado allí la corrupción amarilla ni el dromedario de color canela servía de protección contra nada, pero era muy tranquilizador saber que en aquella torre se repetía el movimiento acompasado de las patas dentro de la caja arquitectónica, del mismo modo que los cantos de las sirenas celestes regulaban la buena marcha de los astros en el cielo. Eso pensaba yo, en mi ignorancia. Sirenas. Armonías. Pero debajo de la corrupción dorada dormían quizá el oro negro y la muerte.

8

Julius yacía en la cama medio desnudo. No me saludó cuando entré, se limitó a mirarme con expresión ausente. Tenía el rostro abotargado y el pelo en desorden, pegado a la frente por el sudor. Parecía más que nunca un ahogado. Aquella devastación no podía ser obra sólo de la bebida, aunque sobre el escritorio había una botella de ginebra casi vacía, que había visto llena cuando salí. Una gran cantidad de papeles con fórmulas y garabatos, algunos arrugados y otros rotos, estaban esparcidos por el suelo. Dejé el bolso sobre la mesa, encendí un cigarrillo y me senté junto a él. Sólo entonces pareció advertir mi presencia.

—¿De dónde vienes? —preguntó irritado.

—De la ciudad.

La desgana con que pronuncié aquellas tres palabras me recordó el tono cansino que solía emplear, años atrás, para contestar a los interrogatorios de mi padre cuando volvía tarde a casa, y aquella vuelta a la adolescencia no me hizo ninguna gracia.

—Llevo toda la tarde esperándote.

—¿Esperándome? —pregunté con sorna—. Vamos, Julius, ¿desde cuándo estás aquí por las tardes? Creí que no vendrías hasta la noche, como de costumbre—. Luego, dulcificando el tono, añadí conciliadora—: no he hecho nada especial. He conocido a una mujer muy interesante, la famosa madame Toussaint, y he estado con Sugar en las Buenas Aguas. Me llevó él y luego me trajo aquí. Como ves, no he corrido peligro en ningún momento.

Mis explicaciones parecieron aumentar el enfado de mi marido.

—No te lo tomes a broma ni pienses que estoy loco porque me preocupo por ti —protestó—. Comprendo que quieras hacer acopio de cosas pintorescas que contar a esos amigos tuyos artistas en las reuniones de tu taller, pero te tengo dicho que no es conveniente que andes zascandileando por el barrio antiguo.

—Tus razones tendrás, sin duda, pero yo no veo que haya nada malo en él, y si lo frecuento es para no morirme de aburrimiento mientras tú te ahogas en alcohol y llenas el mundo de fórmulas inútiles —repliqué enfadada, señalando el caos de papeles esparcidos por todas partes.

—¡Y tan inútiles! —suspiró.

Acompañó esta exclamación sorprendente con una sonrisa estúpida. Se había incorporado y estaba sentado en la postura de una marioneta abandonada. Jamás había tenido un aspecto tan miserable.

—En eso te doy toda la razón. He hecho muchas cosas inútiles en mi vida, pero como ésta, pocas.

Su irritación había desaparecido, dando paso a un estado diferente, una autocompasión senil, impropia de él. Dijo que se encontraba mal, pero no por culpa del alcohol sino por alguna otra causa, que ignoraba.

—¿Sabes tú lo que se siente cuando el cuerpo cambia? —preguntó siguiendo con la mirada algo que yo no podía ver —. ¿Cómo vas a saberlo? Eres tan joven, tan perfecta que ni siquiera has experimentado el fastidio y el pánico del hombre que pierde el pelo o la agudeza de la vista, o que ve cómo le crece día tras día una cúpula de grasa en el vientre. A mí eso ya no me viene de nuevas. No soy un niño y estoy en la edad en que empiezan los achaques, lo sé perfectamente. Pero esto es distinto. Me están pasando cosas que no son normales. Se me han caído varias muelas sin ningún dolor, sin previo aviso, como en broma. ¡Es horrible tocarte una muela con la punta de la lengua y que, paf, se te caiga! O una uña. Mira —en efecto, la uña del dedo anular de su mano izquierda había desaparecido, dejando desprotegida la pulpa, que se estaba cubriendo con una fea costra—. O notar en tu cuerpo un olor extraño, calla déjame seguir, y no poder quitártelo con nada. O dormirte y soñar que te has caído en una cuba llena de entrañas, y al día siguiente volver a soñar con la cuba: te caes en ella y la boca se te llena del sabor de la sangre y los excrementos. Y al otro, caes en un túnel de carne que te arroja en un mar de bilis... y así sucesivamente, cuando eres de los que nunca ha soñado nada más terrible que salir volando por una ventana o pasear por la calle sin ropa, ya sabes.

Aquella confesión era insólita, emocionante, sobre todo para quien, como yo, conocía a Julius y sabía que era incapaz no sólo de mentir sino también de exagerar, y sobre todo de imaginar ciertas cosas. Si él decía que había soñado con entrañas o que sentía movimientos siniestros en el cuerpo había que tomarlo al pie de la letra.

—¿Y todo eso, por qué? ¿Por culpa de la mancha? —pregunté, interesada.

—¿Acaso lo sé yo? La mancha, la humedad, los gérmenes, la alimentación... todo contribuye, supongo. La verdad es que dejé de encontrarme bien desde el momento en que puse los pies aquí, pero últimamente las cosas están empeorando. Empiezo a alarmarme. Y si esto sirviera de algo, no me importaría, lo que me vuelve loco es esta inutilidad, esta... impotencia.

»Porque la mancha crece y engorda a nuestra costa sin que seamos capaces de contenerla, y aparte de ella no hay nada. Por alguna razón, nos mantienen aquí, perdiendo el tiempo, sin pasar a la fase más importante del trabajo. No acaban de decidirse... y yo no puedo conformarme. Soy un hombre de acción. O lo era. No me pierdo en fantasías. Si hay un problema trato de solucionarlo. Por eso... esto... No lo puedo soportar, Alicia.

»Y tú, entre tanto, ¿qué haces? Nunca te encuentro cuando te necesito. Siempre estás ocupada con tus maravillas día y noche, sola o acompañada, maravillas y más maravillas, a ratos maravillada y a ratos loca de miedo de no ser un genio. ¿Crees que así puedes hacer feliz a un hombre? A algunos tal vez sí, pero yo soy un hombre viejo, hija mía, un hombre antiguo. Un pobre hombre. Lo tuyo está muy bien para un rato, pero no es serio. Te comportas como una especie de... colegiala de excursión. Y yo necesito una mujer real que se ocupe de cosas reales. Mis compañeros me preguntan por ti. No hemos vuelto a comer con ellos desde hace semanas. Algunos piensan que has vuelto a casa sin despedirte. Te parecerá una tontería, pero para mí es importante quedar bien con mi gente.

Absorto en la contemplación melancólica del vaso vacío, que sostenía sobre la rodilla con mano trémula, hablaba sin mirarme. Su reprimenda, que consideraba injusta y ridícula, me irritó tanto que fui incapaz de articular palabra. No había nada que decir. Intenté levantarme del borde de la cama, pero entonces salió del marasmo y me abrazó. Respiraba con fatiga. Su mano se deslizó por mi pelo y mi cuello, y llegó a los botones de la blusa, desabrochó un par de ellos, se introdujo bajo la tela y me oprimió un pecho con dulzura. No reconocí su mirada suplicante. ¡Qué distinta de la que me sedujo la primera vez que le vi, cuando un destello arrancado por el sol al cristal de una jarra de cerveza me hizo reparar en él! La mirada azul de aquel hombretón de aspecto jovial, cuyo abrazo prometía ser una batalla y una fiesta, me encendió. Ahora, desde su rostro congestionado me miraban unos ojos enrojecidos, cuyo color había ido degradándose hasta un gris ceniciento. Los oscurecía una sombra nueva, quizá la huella de la locura. Sus miembros parecían entorpecidos por una pesadez mortal. Sin embargo, mi extrañeza y mi repugnancia ante los despojos del héroe fueron un acicate del deseo que ejercía sobre mí su cuerpo todavía poderoso.

Mientras rodábamos medio desnudos por la cama, una criada pasó por delante de la ventana, cargada con un montón de ropa sucia. Miró hacia nosotros o me lo pareció, y creí ver en su boca una sonrisa furtiva a través del cristal.

Una vez más, el alcohol o el veneno de la mancha embotaba la potencia de Julius. Sus esfuerzos fueron vanos, pero el contacto con su carne fría y blanda había encendido en mí una urgencia que no nacía en la piel sino en los huesos, de dentro a fuera. Ante mí se extendía un camino solitario, cuyas piedras ardientes no daban tregua a los pies desnudos. No estaba permitido detenerse y no me detuve, y me di a mí misma todo el placer que había esperado de él y mucho más. Cuando alcancé la cumbre, procuré permanecer en ella el mayor tiempo posible.

Me demoré evocando los frutos de amor que pendían del árbol de unas piernas: las de un barquero que vi en una ocasión en lo alto de un mástil. Aquellos testículos enormes del color de las ciruelas, se habían escapado por una pernera de sus calzones de sucio dril mientras trepaba por una escala de cuerda.

Mis amigas, al advertir el desarreglo, prorrumpieron en grititos y risas sofocadas, pero yo permanecí en silencio mirando hacia arriba, saboreando el vértigo que me producía el bestial racimo suspendido en las alturas. Lo sentía como contenido en mi boca destilando miel. Aquel movimiento de la imaginación desencadenó en mi cuerpo una marea de placer que me subió del vientre a la garganta y tuve que aferrarme a la madera del casco para apoyar en secreto mi deleite, doblemente intenso por lo furtivo. A partir de entonces, mi fantasía favorita en el amor había sido el recuerdo de las opulencias del barquero, cuyo rostro no vi jamás porque me lo borró un destello del sol entre las velas.

Quizá fue por no poder corresponder a mi deseo o por haberme perdido en aquella carrera solitaria, por lo que Julius se sintió ofendido. Algo le había herido profundamente. El caso es que, sin que mediara palabra por mi parte, ardió en un súbito ataque de ira. Me tomó por las muñecas y acercándome al rostro una boca que apestaba a alcohol, me dijo algo tan sucio que logró, a su vez, despertar en mí una furia desconocida. Le golpeé como una niña, a tontas y a locas, y sobre todo le mordí hasta sentir en la boca un sabor salado, no sabía si de sudor, de sangre o de mis propias lágrimas de rabia.

Él me cogió del cabello, me abofeteó con sus grandes manos y me arrojó al suelo.

No había torpeza ni titubeo en aquellos golpes, destinados a hacer el mayor daño posible, como si yo fuera un hombre grande y gordo como él, y no la frágil visionaria a quien tanto le gustaba proteger. También yo había perdido el control. Flotando en un océano de sensaciones inmundas, cada vez más parecidas al placer, experimentaba el vértigo de una espiral ascendente, como si poco a poco me librara de las ataduras del cuerpo y penetrara en una región de silencio, donde todo se fundía en una nube de fuego. En medio de aquel arrebato, recordé una paliza recibida en mi infancia que hasta ese momento había permanecido en el olvido. El motivo se me escapaba, aunque no la impresión de que había sido un castigo desmesurado, y el recuerdo estropeó mi sucio goce de víctima al avivar la rabia contra quien, como entonces, me maltrataba sin razón.

Según iban agotándose nuestras fuerzas, el entusiasmo de la pelea fue amainando. Acabamos sentados en el suelo uno junto a otro, respirando con dificultad. En los labios de Julius comenzaba a brillar una sonrisa. Mi boca inició un movimiento que la reflejaba y susurré su nombre suavemente, casi con voz de falsete.

—No me llamo Julius —protestó él con dulzura—.
¿Por qué estás siempre inventando? ¿Por qué te empeñas en enredarlo todo? ¿No puedes quererme como
soy, con mi nombre, con mis problemas, con este trabajo idiota que debo terminar?

Claro que podía, dije. Si no, ¿qué estaba haciendo
allí? Quererle mortalmente, quererle desesperada-
mente —y en aquel momento era sincera, aunque al
mismo tiempo, mientras me oía decirlo, no podía
evitar cierta ironía—. Y de pronto, cuando parecía
avecinarse una nueva efusión sentimental, Titina
saltó sobre él desde lo alto del armario y aferrándose
a su cuello, trató de meterle los dedos en los ojos. El
manoteo de Julius para defenderse enfureció aún
más al animal, que le surco el rostro con las uñas y le
tiró con fuerza del cabello, chillando y emitiendo
sonidos que parecían carcajadas. Inmóvil en el suelo,
con las manos como pegadas a la estera, yo gritaba
unas órdenes que la mona, en pleno ataque de pánico, de ningún modo podía obedecer. Ni siquiera me
oía. Finalmente, Julius consiguió cogerla por las
patas traseras y —¡oh!— la estampó contra la pared
azul, que quedo manchada de sangre y sesos. Luego
la dejó caer al suelo. Allí quedó la pobre, inmóvil
como un muñeco roto.

Me arrastré hasta el cuerpecillo y lo levanté con

cuidado. Estaba caliente. Apenas pesaba. Tenía los ojos abiertos, pero ya no brillaba en ellos la luz inquieta que hasta entonces los había animado. Comprendí que la muerte consistía en que algo se apagaba, y lloré. Hacía siglos que no lloraba así. Me sentía pequeña y maltratada, mucho más que en plena paliza.

—¿Por qué, Julius, por qué lo has hecho, por qué me has hecho esto, por qué has tenido que hacerlo?

—Lo siento, nena —murmuró. Estaba en cuclillas junto a mí y me miraba compungido. Incluso intentó acariciarme la cabeza—. Ha sido un accidente. Yo no quería... pero es que se me ha echado encima de una manera tan... tan de improviso... Tú lo has visto, hija. No he podido evitarlo. Venga, no te pongas así. Volvamos a ser amigos como hace un rato.

Me zafé de sus brazos, que poco a poco estaban cerrándose cariñosamente sobre mí, cogí a Titina y salí. Su sangre me manchaba los pantalones y la blusa. Por encima de mi codo colgaba la cabecita destrozada, que parecía mirar hacia un cielo vacío con un ojo entrecerrado y el otro abierto.

9

El contraste entre la penumbra azul del interior del bungalow y el azafrán del crepúsculo, hirió mis ojos. Estaba ciega, medio loca. Aunque la fuerza que me había infundido la ira permanecía en mí, apenas podía mantenerme en pie. Tenía una sed abrasadora. La monita se iba enfriando y poniéndose rígida, la boca se le había contraído y los labios arremangados dejaban ver los dientecillos y los largos caninos. Se había convertido en algo inerte, un objeto abominable del que no sabía cómo deshacerme.

Caminé muy deprisa, como sonámbula, hasta la ciudad vieja. Recuerdo aquella caminata como un calvario. Todo me mortificaba, cada movimiento, el reverbero de la luz en las tapias blancas, el hervor púrpura de la buganvillas, los olores de especias y cordero hervido que se escapaban de los portales. Al volver una esquina, casi me di de bruces con una joven vestida de añil, que alzó hacia mí su rostro aceitunado. Era Sefira Toussaint, en cuyos ojos brillaba una transparencia de miel entre la espesura negra de las pestañas. Llevaba el cabello recogido bajo un pañuelo. Parecía mayor, se había convertido en una mujer en pocas horas. No se mostró sorprendida al verme en aquel estado. Desde el primer momento, adoptó un aire protector.

—¿El gordo ha matado a tu monita? —preguntó tocándome el hombro ligeramente, mientras examinaba el cadáver de Titina—. Se veía venir. Ha hecho mal, muy mal. Ven a mi casa. Déjame ayudarte.

La enterramos en el fondo de una tinaja, en la que Sefira plantó una palmerita. Aquellas exequias tuvieron una dignidad que contrastaba con las sórdidas sensaciones que había experimentado meses antes cuando me vi obligada a arrojar el cuerpo de un gato muy querido, envuelto en bolsas de plástico, al contenedor de basuras de mi calle bajo la lluvia.

Más tarde se celebró en el corazón de la casa una ceremonia mucho menos inocente. No puede decirse que yo la hubiera solicitado o que llevara la iniciativa de ningún modo, pero tampoco me opuse, esa es la verdad. Las Toussaint quemaron un trozo de mi camisa blanca manchada de sangre, mientras la pro-

pia Sefira recitaba entre dientes fórmulas monóto-
nas. Yo permanecí en pie a su lado. Las llamas del
hogar central me impedían una visión continua de la
abuela, sentada al otro lado en su sillón de mimbre
frente a nosotras. A veces creía ver brillar sus ojos
entre los resplandores y eran ojos amarillos, ojos con
párpados verticales, ojos con párpados transparentes,
ojos con una ranura en el centro que solo dejaba
pasar la luz negra, ojos para ver en la oscuridad. Los
ojos de la madre de las tinieblas. Su imagen se expan-
día en el aire líquido, ondeaba como un velo. Puede
que ya no fuera más que un espectro del gran cuerpo
que había sido cuando mandaba sobre los elementos,
pero daba miedo, porque la entidad que lo habitaba
se asomaba todavía a las ventanas de la casa incendia-
da, desde donde hacía extrañas muecas.

Al principio la melopea me relajó, pero no tardó
en sumirme en un estupor frío y aterrado. El lugar
había ido llenándose de olores marinos, hasta se oía
un rumor de oleaje como si el mar estuviera entrando de algún modo, el espíritu del mar, su alma acompañada por algunos de sus atributos. Allí estaba todo
lo del mar menos el agua. Aferré con ambas manos el
amuleto de carey, cuya ciega virtud volvió a desenca-
denarse como un mecanismo automático. Unas olas
negras, preñadas de una sal abrasadora, jugaron con

mi cuerpo. Algo de mí fue succionado hacia fuera, hacia la mancha de color mostaza, que respiraba, jadeando anhelante y al mismo tiempo tranquila. Podía verla y sobre todo sentir sus movimientos interiores. Se alimentaba de las corrientes de secreta vileza que emanaban de mí, y engordaba y se espesaba como un caldo sabático. Crecía.

La vieja habló. Yo la oía sin entender, con la vista clavada en los hilos verdes que rodeaban la base de sus dedos a modo de anillos. De nuevo acudió a mi memoria la melodía de una canción de corro oída o cantada cuando era niña, y un jirón de la letra, siempre la misma, que decía: «...la madre cochina del hilo verde...». Nunca había podido recordar nada más, sólo aquellas palabras. Algo me ocurrió, estoy segura, pero no puedo acordarme. Aunque no llegué a perder el conocimiento, me quedé traspuesta, incapaz de moverme, mirando sin ver y sintiendo que me separaba de mí misma y planeaba sobre el mar. Éste se extendía debajo de mí como una piel amarilla y ondulada, a través de la cual brillaban pálidas algas carnosas, entre las que nadaba una gran tortuga de ojos azules que me miró como miran los maridos a las esposas jóvenes y atolondradas. Y yo pensé: «¿Por qué lo hiciste?». Debí pensarlo en voz alta, porque estas palabras resonaron como un trueno, y aún resonaban cuando desperté entre los brazos de la vieja hechicera, que me sostenía piadosamente.

—Hay que darles su merecido —dijo—. A todos.

Yo quise protestar o al menos preguntar a quiénes se refería, pero estaba tan cansada y me dolía tanto el cuerpo a causa de los golpes que permanecí en silencio, con la mente en blanco. Luego me encontré caminando por los corredores de la casa junto a Sefira, con el alivio de quien abandona la consulta del dentista. Lo único que percibía de inusual en mí misma era la sensación de tener la espalda mojada.

—Puedes estar tranquila —decía la muchacha, apretándome la mano—, hemos hecho un buen trabajo. Hay cosas que no se pueden dejar sin castigo. Mi abuela está contenta de mí. No te enfades porque te haya cobrado otra vez. Cobra a todos porque es la norma, hasta a los amigos, pero no hace las cosas por dinero. Es una artista.

—Tú también lo eres, ¿verdad? —pregunté, y cuán confusa no estaría que, apenas formulada aquella pregunta, no supe ya si iba dirigida a Sefira o a mí misma. Aunque, bien pensado, no era tan extraño, porque a veces, cuando hablábamos, los límites entre ambas se diluían como si compartiéramos una porción del alma.

—Sí, o al menos voy a serlo —respondió—. Hasta

ahora sólo he hecho cosas pequeñas. Mejor dicho, hice una grande gracias a tu dibujo, cuando conseguimos que Amara se uniera a los animales apartados. Me queda mucho que aprender, pero no tengo prisa: la abuela me enseñará. Después de ver que puedo ayudar en una ceremonia como la de esta noche, me ha nombrado su heredera. Yo estoy tranquila: sé que valgo.

«No tengo prisa», «sé que valgo». ¡Qué familiares me sonaban estas palabras! Yo misma solía repetirlas ante mis cuadros para darme ánimos cuando dudaba de mi talento o recibía una crítica adversa. Hacía tiempo que ni siquiera me las decía; me estaba abandonando o dejándome abatir. Por el contrario, en las de Sefira —y sobre todo en la expresión de su rostro— había una profunda resolución, una pasión reflexiva e inteligente que excluía cualquier otra. Sin duda con el tiempo llegaría a ser una gran hechicera. Mandaría en el mar, en las basuras que servían de alimento a la mancha y en la metamorfosis de los hombres en bestias, como Circe, sin dejar que el amor la desviara de su camino. La envidié: al menos tenía una maestra, no como yo, que lo aprendí casi todo por mi cuenta. Nadie me había enseñado nada útil para orientarme en las regiones desoladas que debía atravesar antes de acceder, si alguna vez accedía, a un territorio fértil donde poder establecerme para crear.

10

Hubiera dado años de mi vida por ser capaz de plasmar las hermosas imágenes, rotundas como gaviotas, que cruzaban mi mente aquellos días, pero la mano no sólo seguía sin obedecerme sino que incluso era incapaz de sostener el peso del pincel. El olor de los aceites y barnices me daba náuseas, y las manchas de pintura me producían una aprensión enfermiza, como si fueran de sangre y proclamaran grandes culpas. Una de ellas se me había metido debajo de la uña del pulgar, y tanto insistí en desalojarla con las otras uñas y los dientes que acabé produciéndome una herida. Como en aquel clima todo florecía y proliferaba, se infectó. No hubo más remedio que sajármela en el hospital. Aquella matadura mía de lujo, auténtica pústula metafísica que primero había sido una mancha de óleo de color añil, obligó a una enfermera a dejar su trabajo con los desgraciados que se amontonaban en los pasillos para atenderme. No es extraño que me miraran con malos ojos: yo misma me sentí miserable cuando me hicieron pasar por delante de ellos para que no tuviera que esperar.

Una tarde Julius rompió su silencio de enfermo que no quiere gastar energías en vanas palabras. Yo estaba de espaldas, secándome el pelo, y el sonido de su voz me sobresaltó.

—Alicia, a menudo me reprochas que no te haya enseñado aún la plataforma —dijo con una voz que se me antojó demasiado melosa, como la de un ogro engatusando a un niño antes de devorarlo—. No quiero que nos marchemos sin que la veas. Vamos a ir ahora.

Era verdad que lo deseaba desde mi llegada a la isla, pero en aquel momento no me apetecía. Sin embargo, no tenía motivos para negarme. Busqué una prenda de abrigo: el sol estaba a punto de ponerse y había refrescado. Riendo, Julius dijo que no exagerara. La brisa fresca me sentaría bien. Además íbamos a estar allí poco tiempo. No se nos haría de noche. En cambio, podía ponerme algo más presentable que los pantalones y la camisa que llevaba. Yo no creía que hubiera necesidad de acicalarse, pero insistió.

—Siempre vas vestida de muchacho. Quiero verte al menos una vez de mujer. No vamos de pesca sino de visita: tomaremos una copa con mis compañeros en el laboratorio. La plataforma pertenece al mundo civilizado, no al de esas piojosas amigas tuyas.

Como no tenía ganas de discutir, me puse un traje de chaqueta, el único que había traído, y unos zapatos en lugar de mis cómodas botas de lona. Sugar nos llevó en el coche al embarcadero y luego condujo la motora. Durante el breve trayecto, Julius echó unos tragos de su petaca de ron, seguidos por una especie de bufido o relincho que no le había oído nunca. El aire frío y las salpicaduras de la espuma me helaron hasta los huesos. La tela húmeda de la chaqueta se me pegaba a los brazos. Encogida y tiritando, fui incapaz de experimentar la menor emoción cuando la plataforma empezó a crecer ante mis ojos según acortábamos la distancia que nos separaba de ella.

Sin embargo, el espectáculo era hermoso. Las luces de zafiro y rubí de los vértices brillaban irreales contra el cielo gris oscuro. El ingenio mismo, pese a su gran tamaño, parecía leve, fantasmal, medio borrado por las sombras de aquel crepúsculo sin claridad. Y sobre todo abandonado. Tenía el aspecto de un montón de chatarra herrumbrosa más que el de un lugar animado por el trabajo y la actividad. Los

escasos restos de la pintura blanca que la había reves-
tido estaban amarillos o rojizos de orín. El mar, pica-
do, golpeaba y barría la cubierta con violencia.
Cuando Sugar detuvo la lancha y Julius me aupó
hasta la mitad de la escalerilla, perdí un zapato y
estuve a punto de caer al agua.

A parte de las luces de posición sólo había encen-
didos unos cuantos pilotos que apenas iluminaban.
Casi a tientas y ensordecidos por el ruido del oleaje,
subimos por una escalera de hierro que temblaba a
cada paso amenazando con desplomarse. Conducía a
una plataforma superior muy elevada, sobre la que se
alzaba una torreta de observación. Julius, presa de un
entusiasmo sombrío, me lo explicaba todo a gritos.
Su voz iba y venía según cambiaba la dirección del
viento o su situación en los meandros de la escalera.
Apenas podía oírle. Dijo que aquel era el mejor
mirador para observar la mancha. Nos detuvimos en
lo alto de la torre principal. El pozo de la perforadora
se abría vertiginoso a nuestras espaldas.

—¿Dónde está la gente? —pregunté jadeando.
Julius ignoró la pregunta, aunque yo estaba segura de
que la había oído.

Me ahogaba. Seguía tiritando, cada vez con más
fuerza. El pie desnudo se me helaba en contacto con
el húmedo suelo de hierro.

—¿Qué te parece? —exclamó Julius aferrado a la barandilla con una mano mientras con la otra me cogía de un brazo y me zarandeaba—. ¿Era esto lo que querías ver? ¿Se parece a lo que imaginabas? Seguro que no. Tú siempre lo imaginas todo mucho mayor y lleno de brillantes guirnaldas como un árbol de navidad, pero de todas formas no está mal, ¿verdad?

—A mí este montón de chatarra me parece muerto y abandonado —grité, como un reproche.

No quería decir eso, pero lo dije, y en voz bien alta. Julius me miró de tal modo que cerré la boca inmediatamente y permanecí en silencio. Cada vez que nuestros ojos se cruzaban, me parecía tener delante los de Gunnar Olafson cuando todavía acarreaba como un fardo sus propios restos a través del solanero del islote. Los efectos del ensalmo de las Toussaint parecían apreciarse en aquella mirada vacía y feroz, y en las escamas que endurecían su piel cuarteada. ¿Cuánto tardaría Olafson en sentir definitivamente la llamada del mar? ¿Cuánto iba a tardar Julius? Quizá todo eran figuraciones mías inducidas por las fantasías de las piojosas, como llamaba Julius a las Toussaint, pero entonces, ¿a qué se debía aquella clamorosa pérdida de la dentadura de Julius, cuya boca se despoblaba a ojos vistas?

—Hemos tardado tanto que ya no hay nadie. Te dije que te dieras prisa. Pero dime, ¿qué te parece la mancha desde aquí? —preguntó—. Desde tu llegada está maravillosa. Yo también sé apreciar la belleza. Ha crecido, nadie sabe por qué. Mírala, Alicia, mírala. No es un juego de palabras, es real. Ya te encargarás tú de que deje de serlo, ¿eh? La recrearás con los más fastuosos colores, brillos y transparencias. Vamos, mírala. ¿ Era esto lo que querías ver? ¡Di algo de una vez! ¿Por qué lo guardas todo para ti? ¿No puedes compartir conmigo este momento?

«Ni lo sueñes —pensé—. A partir de ahora no pienso compartir nada con nadie».

Me hizo inclinarme sobre la barandilla y sacar medio cuerpo sobre el abismo hirviente de olas frías que se abría a nuestros pies. La noche había caído y en el agua negra como el petróleo sólo se distinguían brillos de charol. Las manos de Julius, aferradas a la barandilla, me parecieron zarpas. Parpadeé y las miré de nuevo. No eran zarpas sino manos, unas manos extrañamente rudas y callosas; nadie las hubiera imaginado manejando un tiralíneas. Pero yo le había visto mil veces inclinado sobre el tablero, dibujando delicadas estructuras y escribiendo fórmulas que eran como los arabescos que adornaban los dinteles del barrio de los Herbolarios.

—Sí, crece y se vuelve cada día peor, por culpa de mi ignorancia y de mi impotencia. Me llama continuamente, a todas horas. Quiere que me reúna con ella, la muy zorra —tronó Julius. Pensé que había perdido la razón definitivamente.

Me encontraba mal. Mi voluntad de permanecer a su lado para demostrar valor aunque fuera en silencio, se resquebrajaba por momentos y eso contribuía a aumentar mi pánico. Al mismo tiempo una inesperada ola de amor estaba empezando a brotar dentro de mí, haciéndome arder las mejillas con una fiebre tan violenta que casi oía crepitar mi piel. Y era porque veía proyectarse la majestad de su cabeza contra las nubes que se arremolinaban al asalto de la luna, y a causa del pecho poderoso, surcado por la cicatriz y esculpido por la camisa mojada, y por los ojos que parecían negros y fulguraban como los de un emperador en la última batalla. Aquella imagen heroica estaba pintada sobre el velo de la muerte. Pensarlo me ponía sentimental.

La tormenta que había estado amenazando comenzó a descargar. Julius me abrazó con fuerza. Yo tiritaba y él me besaba en los ojos, en la boca. Mientras me alzaba como a una niña y me sentaba en la barandilla, susurró:

—Te quiero. Quiero que vengas conmigo, preciosa.

Te gustará. A ti te gustan estas cosas. A nadie le gustan tanto como a mi pequeña. Por eso eres única. Por eso te quiero tanto, por eso lo dejé todo y lo volvería a dejar. Ven, vamos.

El metal helado me quemaba los muslos. Vi el agua debajo de mí, esperándome, y otras aguas más profundas en los ojos de Julius, cuya mirada no pude reconocer. Sus palabras rompieron el hechizo al ser pronunciadas con una voz casi de falsete a causa del alcohol o de la demencia. Me hicieron reaccionar. Le di un empujón y eché a correr escaleras abajo hasta la lancha.

Caí en brazos de Sugar, sollozando y gritando. Sin preguntar nada, el hombre se apresuró a sacarme de allí. Mientras nos poníamos en marcha, volví la cabeza y vi a Julius en la cubierta superior de la plataforma, mirando a derecha e izquierda, buscándome como un Cíclope ciego. Adiviné su rostro crispado en un gesto de frustración, como un animal que ha perdido su presa. Sugar me tendió un objeto. Era mi zapato.

11

Por lo fresca y gris, la mañana siguiente me pareció el primer acorde de un cambio de estación. Pero allí no había estaciones, sólo simulacros. Cuando abandoné el hotel donde había pasado la noche, di un paseo por la playa antes de volver al Cartago. No quería llegar antes de que Julius saliera hacia su trabajo. Un espectáculo familiar me hizo detenerme junto a la orilla. Cuatro niñas empapadas por el fuerte oleaje arrastraban fuera del agua, entre gritos y risas, una tortuga enorme en forma de laúd. Pesaba tanto y movía los miembros con tal desesperación que apenas podían con ella. Cuando la depositaron en la arena, sus ojillos azules me miraron con odio. Reconocí aquella mirada y pronuncié mentalmente su nombre. Me temblaron las piernas. Un golpe de sangre me abrasó el rostro mientras por mi espalda se deslizaban regueros de sudor frío. Allí estaba de nuevo el dolor de la extrañeza, como cuando cazaron a la bestia ciega que aprisionaba el alma de Amara.

—¡Hermoso ejemplar! —exclamé como en un sueño, tontamente, en voz muy alta, quebrada por una angustia que traté de borrar de mi ánimo diciéndome que aquello sólo era un juego, la diversión favorita de los niños de la isla. Sin embargo no era la solemnidad del juego infantil lo que se reflejaba en los ojos de Sefira Toussaint, que permanecía inmóvil a mi lado con las aletas de la nariz dilatadas, ni en las frentes de las muchachas que jadeaban a mi alrededor, sino la euforia que funde en un solo ser a los miembros de la jauría o a una cohorte de amazonas.

Sentí mi poder sobre el animal indefenso como una corriente invisible que, brotando de mi propio cuerpo, aplastaba sin piedad el caparazón contra la arena. Fue en ese momento cuando comprendí el significado de una imagen enigmática de mi adolescencia.

Durante semanas había estado dibujando en la Facultad la copia en yeso de una estatua sin cabeza que tenía un pie sobre el caparazón de una tortuga. Uno de mis profesores se ganó mi eterno desprecio al explicarme que se trataba de un símbolo del encierro al que estaban sometidas las mujeres griegas en los gineceos como una tortuga en su concha. Comenté al compañero que trabajaba a mi lado la simpleza de aquella interpretación, pero éste se encogió de hombros. Él se limitaba a recrear la estatua sobre el papel sujeto a su tablero con chinchetas; todo lo demás le tenía sin cuidado. Ahora, por fin, muchos años después y en una playa salvaje, empezaba a penetrar por mí misma en el misterio de la Afrodita Urania.

Sefira me tendió una hachuela para que inaugurara la ceremonia.

—No soy una niña —protesté, creyendo que semejante obviedad me libraría de sacrificar aquel animal «apartado», vedado a las mujeres.

—Como si lo fueras.

En el momento en que mi mano empuñó el instrumento del sacrificio me asaltó la imagen anticipada de la masa del cuerpo sin caparazón yaciendo sobre la arena húmeda, acechada por los pájaros bajo el sol de plata de la mañana desapacible como en los cuadros de Van Velde. No pude seguir. Julius no merecía ese castigo y además, ¿para qué tanta sangre? Renuncié a continuar un rito que me resultaba cada vez más fácil de entender y conducir, pero también más abominable. Dejé caer el arma de mi mano mientras ordenaba bruscamente que soltaran a la tortuga. Sentada en la arena sobre los talones, Sefira me miró despectiva y escupió. No dijo nada. Luego, llena de ira y decepción clavó la mirada en el mar.

Todo había terminado. Las niñas se alejaron en silencio, cogidas de la cintura, mientras el animal corría torpemente hacia el agua. La alcanzó, felizmente. Los hechizos, si los hubo, parecían haberse roto. Sus elementos se dispersaban y cada cosa volvía a su lugar natural. Sefira echó a andar con desgana hacia la muralla.

—¿Qué ha sido de Gunnar Olafson? —grité, haciéndome altavoz con las manos.

Sin volverse, extendió el brazo derecho y señaló hacia el mar. Arrastraba los pies levantando nubecillas de arena gris.

Me esforcé en disipar la amargura que me producía la desbandada de las cazadoras, pensando que había hecho lo que debía, pero era imposible. Para aplacar mi angustia tuve que aferrarme a la idea de que si volvía al bungalow, encontraría a Julius enfrascado en sus fórmulas. Eché a andar en dirección, creía yo, al Hotel Cartago, pero me perdí. Estuve vagando mucho tiempo sin lograr orientarme. Tenía sed. En un bar del puerto pedí una jarra de cerveza fresca. Olvidaba que allí la cerveza tenía siempre una tibia insulsez de orina.

Mientras contemplaba desde la barra a un grupo de personas que esperaban al autobús en la calle, recorrí el interior del Pemba Village en una visión que me condujo a un subterráneo poblado por reptiles que antes habían sido hombres. No todos tenían caparazón; los había largos como troncos, erizados de crestas y espinas, con mandíbulas como sierras y también cilíndricos, de piel suntuosa. Rebullían en el fango a cientos, miles, pétreos y silentes, tranquilos. De aquel inmenso rebaño de víctimas destinadas al asador y la sartén se desprendía una perezosa felicidad. La frialdad de su sangre les volvía indiferentes. Quizá Gunnar Olafson se hallaba ya entre ellos. Cualquier día sería devorado por un grupo de turistas.

Al salir olvidé pagar la consumición. El muchacho que corrió tras de mí, me salvó de ser atropellada por una furgoneta. Luego caminé al azar por las calles de un barrio desconocido, sin aceras ni calzada, manchándome los zapatos de barro. Nunca había deseado tanto que se produjera una de las providenciales apariciones de Sugar. Y en efecto, Albert Sukari me alcanzó con el coche y me abrió la portezuela. Parecía muy preocupado, pero no por mí. Intuí lo que pasaba cuando su inmensa mano, oscura en el dorso y casi blanca en la palma, se posó en las mías. No necesitó decir gran cosa: yo lo adiviné, aunque...

¿Cómo era posible? Si yo..., si yo no..., si yo no le había hecho ningún daño... Pero, en definitiva, ¿qué tenía que ver con mis fábulas bárbaras lo que estaba oyendo? Sugar dijo que Julius había permanecido en la plataforma toda la noche, bebiendo. Se había negado a volver en la motora. Al amanecer, perdió pie y cayó en la mancha. Quizá se había arrojado él mismo. Estaban buscándole con barcas de pesca y las lanchas. Deseé con todas mis fuerzas que no lo encontraran, porque su muerte debía pertenecer indefinidamente al reino de las conjeturas, donde las cosas duelen menos. Pero lo encontraron y tuve que identificarle. Por fin me veía obligada, sin posibilidad de eludirlo, a mirar y ver un espanto que no se velaba a sí mismo piadosamente con una capa de irrealidad, como la mujer del cráneo vacío o como Gunnar Olafson cociéndose en el infierno de la magia, y no era tan llevadero como la mirada ciega de la cojita Amara. Allí estaba, ante mí, amenazador, abultando bajo la sábana con el espesor brutal de la realidad. Al retirar la tela fue como si levantaran el velo de los misterios, pero yo no quise verlo. Cerré los ojos y asentí sin mirar. Era él, sin duda, maltratado, de una manera o de otra, por el mar.

FIN

OTRAS OBRAS DE PILAR PEDRAZA

Necrópolis [Víctor Orenga editor, 1985]

La fase del rubí [Tusquets editores, 1987]

La Bella, enigma y pesadilla (Esfinge, Medusa, Pantera) [Tusquets editores, 1991]

Las joyas de la serpiente [Tusquets editores, 1988]

La pequeña pasión [Tusquets editores, 1990]

Las novias inmóviles [ed. Lumen, 1993]

Valdemar / Serie «Autores Españoles»

Antología Española de Literatura Fantástica
Selección de Alejo Martínez Martín

Leopoldo María Panero, el último poeta Túa Blesa

El silencio del patinador Juan Manuel de Prada

Oposiciones a la Morgue y otros ajustes de cuentas
Luis García Jambrina

Cinelandia Ramón Gómez de la Serna

Sobre el amor y la separación Félix Grande

El divino fracaso Rafael Cansinos-Asséns

Las máscaras del héroe Juan Manuel de Prada

Paisaje con reptiles Pilar Pedraza

Próximamente:

Clásicos de traje gris Andrés Trapiello

Fotocomposición: Ilustración 10
Fotomecánica: Sistegraf
Impresión de color: Rumagraf
Impresión interiores: Rógar
Encuadernación: Felipe Méndez